WIZARD

実践FXトレーディング

勝てる相場パターンの見極め法

イゴール・トシュチャコフ（L・A・イグロック）[著] 古河みつる[訳]

BEAT THE ODDS IN FOREX TRADING

How to Identify and Profit from High-Percentage Market Patterns

by IGOR TOSHCHAKOV (L.A.IGROK)

Pan Rolling

WIZARD BOOK SERIES Vol. 123

BEAT THE ODDS IN FOREX TRADING : How to Identify and Profit from
High-Percentage Market Patterns
by I.R.Toshchakov

訳者まえがき

西遊記は孫悟空が活躍する奇想天外な冒険譚だが、実は、悟りを得るための修行法、いわゆる練丹法の秘伝書だといわれている。相応の修行を積んだ者が読めば奥義を授かることができる。

トレード指南書にも、素直に読ませてくれる本もあれば、読みこなすのに「技」がいる本もある。本書『Beat the Odds in Forex Trading』は、相性の向き不向きを含め、読者が試される秘伝書のような本だ……と言ったら言いすぎだろうか。

「同じチャートを見ても、フォーメーションが見える(見えてしまう)人もいれば、見えない人もいる」というようなことを著者は書いているが、それは本書自体にも当てはまるようだ。

実際、某インターネット書店での評価も見事に分かれている。確かに非ネイティブが書いた英語のような分かりにくさや意図的とも単なる怠慢とも考えられる過不足な箇所という「石」も混じっているが、そこでダメを出してしまえば「玉」はつかめない。

焦点距離を適度にずらしたときに新たな画像が浮かび上がってくる裸眼立体視（ステレオグラム）のように、読み進むうちにあるとき突然「奥義」が鮮明に浮かび上がって見えるかもしれない。

とはいえ、初心者でも、『FXトレーディング』（パンローリング）などでFX市場の基本知識を補い、実際の相場チャートと見比べながら随時読み返すことによって、勝率の高いトレードプランを構築するための強力なアイデアを数々得られるはずだ。

2007年盛夏

古河みつる

目次

パート4　イグロックメソッドによる短期トレードとデイトレードの戦略

パート5　短期トレードとデイトレード用テンプレート

まえがき

本書で私が明らかにした手法を積極的に実践すれば、実際の市場における学習期間を２～３年短縮し、少なくとも２万ドルの投資資金を節約できるだろう。

通貨投機を行ってきた期間、幸運なことに、貴重な経験を積む機会を得ただけでなく、多くの個人トレーダーの仕事ぶりを観察する機会を得ることもできた。10年以上にわたり通貨取引の理論と実践方法を個人投資家に教えてもいる。また、私自身も、書籍、各種の出版物、各種の専門的なセミナーやフォーラムでのディスカッションを通じてほかのトレーダーたちの経験を学んでいるし、世界各国のトレーダーや同業者たちとメールの交換をしてきた。これらもろもろの経験のおかげで、思慮深いトレーダーがプロとしてのキャリアを通じて遭遇するであろう問題に関して、総合的な調査を自分なりに行うことができた。また、本書の基盤となり、私独自の取引手法を構築するのに使用した、広範な情報を収集することもできた。そもそも世の中に完璧なものなど存在しえないが、「裁量的システマティック・イグロックメソッド（Igrok Discrete-Systematic Method）」が為替投機を職業として選択する人や副収入を得る手段として考えている人にとって、真剣に検討する価値のあるものだと確信している。

まず最初に申し上げたいことは、為替投機トレーダーとしての私自身の経験、そして実際に会ったり、出版物を通じて知っている私が尊敬する同業者たちの経験からいえることは、すべての個人トレーダーが対処しなければならない問題は基本的に同じだ、ということだ。だが、それらの問題に対する解決策は、トレーダーの数とほぼ同じだけある。時を経て現れる実際の結果には完全な勝利から完全な敗北までの幅が生じる可能性がある。個々の参加者にとって、このビジネスは、あのシェイクスピアのハムレットの名ゼリフもどきの「トレーダーになるべきか、ならざるべきか」という問いかけから始まる。未知の分野で成功を追い求めるために、金と時間（場合によってはさらにほかの職業で築いたキャリア）をリスクにさらす価値があるだろうか？

この市場に参加するにしても、統計上５～７％といわれている、あこがれの成功者の仲間入りをするにはどうしたらいいのか？　このビジネスに投資する資金、時間、エネルギーが正当化されるだけでなく、十分な見返りが得られるようにするにはどうしたらいいのか？　参加者は自らそれらの問いに答えることが必要だ。それに比べれば、私ができることははるかに些細なものだ。すでに「トレーダーになる」ことを選択した人たちに、マーケットというゲームに屈せず、勝ち抜くための私なりの秘訣をお教えすることだ。新人トレーダーは、本書によって、過ちから学んで必要な経験を積んでいくという従来の試行錯誤的な学習方法をとっていれば失ったであろう時間と資金をかなり節約することができる、と私は確信している（本書では、基本的なトレード用語、テクニカル分析用語、チャート、一般的に知られている記号、通貨取引に関連する略語などについて、特に詳しい説明なしに使用しているので注意してほしい。それらの事項に関する説明が必要な場合は、さまざまな書籍や、私のウエブサイト http://www.igrokforex.com/ を含む、多数のインターネットサイトで容易に見つけることができるはずだ)。

Part 1

新人トレーダーへのアドバイス

Recommendations to Novice Traders

新人トレーダーは、実際のFX市場でトレードを始める前に、このビジネスに関する知識を深め、実際のトレードに備えて心の準備をするためにある程度の時間を費やすべきだ。最初の段階は次の５つのステップに分けることができる。

１．理論的な準備と学習
２．チャート分析用のソフトウエアの入手と相場情報の入手先の選択
３．実際の相場環境に連動したバーチャルアカウントを使用して、実践的なトレーディングテクニックやスキルを身につけ、トレード戦略やシステムを開発する
４．取引業者または取次業者を選択する
５．投資資金の額を決定し、取引口座を開く

準備段階で私のアドバイスを受け入れてくれれば、効果的で楽しい学習ができるようになるはずだ。このアドバイスは学習効果を高めるためにあなたが行うべき準備事項だ。ということで、新人トレーダー向けの一般的なアドバイスから始めよう。

第 *1* 章

はじめに

How to Get Started

FX市場に関する理論的な情報の最も大きな部分、つまりファンダメンタル分析とテクニカル分析の両理論の主要部分と一般的な情報については、本書では触れない。通貨の投機取引に関する理論は既存の専門書を読めば勉強することができる。イグロックメソッドの勉強に入る前に、これから参加しようとしている、あるいはすでに参加しているこのビジネスに関する基本的な事項を学ぶ必要がある。イグロックメソッドは既存のいわゆる「伝統的」な手法とはまったく異なるため、理論的な準備にもそれなりの独自性が求められる。トレード理論の準備としては、以下の４つの事項を勉強することをお勧めする。

1．FX市場の歴史と発展
2．FX市場の参加者、その役割、トレードのプロセスにおける相互関係
3．通貨投機取引の技術と用語
4．ファンダメンタル分析とテクニカル分析の一般原則

重点はテクニカル分析の主要事項に置くべきだ。なかでも重要なのは、サポート・レジスタンスの理論とリトレースメント理論（ダウとフィボナッチ）という２つのテーマだ。私の取引手法では、テクニカ

ル分析の一般理論のなかの比較的小さな部分しか使用せず、ファンダメンタル分析については基本的にまったく使用しない。だが、使用する可能性がいくら低くても、ある程度の知識を持っていることが邪魔になることはないだろう。逆に、その知識によって、イグロックメソッドをよりよく理解できるだけでなく、相場の内部的な傾向を把握するのにも役立つはずだ。

情報、データ、テクニカルサポート

コンピューターソフト、チャートプログラム、相場データ（リアルタイムとバッチ）の情報源について、特別な条件といったものはない。なにより、イグロックメソッドはごく最低限のデータしか必要としない。だから相場情報をリアルタイムで提供しているサービスならどこでも（いちばん安価なところでも）構わない。チャートを作成でき、主なテクニカル指標が使えて、トレンドライン、サポート（支持線）、レジスタンス（抵抗線）を描ける最小限のグラフィックツールがあれば十分だ。インターネットを探せば無料で使えるサイトもあるはずだ。長期分析にはもっと高度なソフトウエアが必要になるが、昨今では品質的に申し分ないレベルのものを比較的安価に手に入れることができる。

これらの事項については特にリサーチをしていないので、情報サービスやチャートプログラムの比較評価をここで紹介することはできない。ちなみに、日足・週足・月足のチャートを含む長期的なチャート分析に、私はオメガリサーチ（Omega Research）のスーパーチャート（SuperCharts）とBridge/CRBのデータサービスを使っている。このソフトウエアはリアルタイムモードに対応しておらず、データは取引が終わるグリニッジ標準時午後11時に毎日Bridge/CRBからロードされる。私はこのサービスで完全に満足している。イグロックメソッドの必要条件を満たしているし、この程度のもので十分だと思う。

バーチャルトレード

FX市場で実際のトレードに参加することを最終的に決断する前に、大多数の初心者がバーチャルトレード（つもり売買）と呼ばれる学習段階を経験している。それはリスクにさらす資金がバーチャルであるところだけが異なるトレードゲームだ。この段階は主として新人が実際のトレードに参加するか否かを最終的に決断する時に当たる。最終的な決断はこのようなバーチャルトレードの結果に基づくことが一般的だ。このようなトレード方法は初心者にとって必要だとは思うが、バーチャルトレードの結果は、同じトレーダーが実際のマーケットで本物の資金を使ってやった場合の結果とは異なることを強調しておきたい。結果の違いは常に本物のトレードのほうが分が悪い。最大の原因は心理的要素にある。本物の資金を失うというリスクがトレーダーにネガティブな影響を強く与え、バーチャルトレードでは避けることができたような過ちが誘発されるためだ。だからバーチャルトレードでの結果がそのまま実際のマーケットでも得られるなどとはゆめゆめ思わないことだ。トレーダーの心理に組み込まれたネガティブな要素がいや応なしに姿を現すからだ。本物のトレードでポジティブな結果を収めるには、実際のトレードというストレスのかかった状況で心理的負荷を軽減する方法を身につける必要がある。そうすることで精神力が鍛えられ、平常心を保つことができるようになる。

現在では、大多数のFX取引業者や取次業者がオンライン取引サービスを提供している。大多数の個人トレーダーにとって最適なソリューションであり、大きな優位性が得られる。それら会社のほとんどは、バーチャル・トレード・サービスも提供している。その観点から私が提示できるアドバイスはひとつしかない。本物のトレードを始めるときに使う取引業者または取次業者は、バーチャル・トレード・サービスのあるところのほうがいいということだ。そうすれば、おそらくサービスのレベルを評価できるであろうし、注文の手順に慣れることができるし、その会社のオンライン・トレード・ソフトの仕様に慣れることができる。バーチャル口座の資金額を自分で決められる場合は、実際の投資で予定している金額と同じにすることが望ましい。そうすれば、すぐに対処することになる実際の状況に少しでも近づけることができるからだ。

第2章

取引口座を開く

Establishing a Trading Account

FX市場には独特の特徴がいくつかある。その特徴を認識し、考慮に入れなければ、投機取引で成功することは難しいだろう。

準備段階を終えてFX市場で本物のトレードに入る準備ができたら、次は取引の処理をしてもらう取次業者または取引業者を選ぶ必要がある。また、選んだ取次業者や取引業者に開く口座に入金する初期資金の額も決める必要がある（取引業者の選択基準については第３章で説明する）。よく知られているように、この市場にはいくつかの特徴がある。それらを無視していては投機取引での成功はおぼつかない。

残念ながら、その特徴はトレーダーがコントロールできる余地のないものだ。その特異性はFX市場独特の条件と歴史的に育まれてきたすべての参加者によって守られている習慣やルールから生まれている。FX市場の特徴をいくつか挙げると、主要通貨のボラティリティの高さ、低い証拠金率での取引が可能であること、最低取引単位が比較的大きいことだ。これらの条件は一見、優位であるかのように見え、投資家をこのビジネスへ引きつける主要な要因になっている。しかし、それらにはネガティブな側面もあり、トレーダーにとってのリスクを高める要因として見ることもできる。コップの中の水がもう半分なくなったか、まだ半分残っているか、というよく知られた例え話のように、すべては観察者の見方に左右される。

この市場に参加することを決断したのだから、あなたがその優位性について十分に情報を得ていることに私はいささかの疑問も抱かない。私の仕事は、隠れたリスクや危険を指し示すことにある。次に、主として新人トレーダーがそのキャリアの序盤で犯すいくつかの過ちについて説明する。それは初期資金額が不十分であることと資金の配分やマネジメントが適切でないことに関連している。まず、トレードを始めたばかりの初心者が犯すことの多い２つの過ちについて警告を込めて説明しよう。

資金不足というリスク

最初に投入する資金額が不十分であることが、大多数の新人が犯す最初の過ちであり、それが最後の過ちになってしまうことが多い。

最初の１カ月、１週間、数日、場合によっては数時間で資金を失ってしまう状況を私はたびたび目にしてきた。学習する時間も機会もないうちに資金をすべて失ってしまうのだ。

そうなってしまう原因はいくつかある。新人トレーダーは、特にキャリアの序盤では、超えてはならないリスク限度に関する知識も経験もセンスも十分に持ち合わせていない。序盤の序盤には、このビジネスに入る前にきちんと準備してさえおけば避けることができるいくつかの過ちが存在する。その過ちのひとつは、取引資金を十分に用意しておかないことだ。主要通貨の１日の平均変動幅をパーセンテージで表せば、銀行、取引業者、取次業者が通貨トレーダーに提供している証拠金率に匹敵するという状況を考えてみよう（証拠金率が取引サイズの２～４％未満というのは、昨今では珍しくない）。

ある通貨が１日で平均１～1.5％変動すれば、わずか２～３日で資金の大部分もしくは全部が失われる可能性がある。ほとんどの新人トレーダーはFX市場でトレードするうえでのリスクについて、ある程度は理解しているものの、明確に認識し、評価することが必ずしもできていないのが現状だ。そのため、リスクを軽減するために間違った行動をとってしまうことが多い。単純な理屈だけで考えれば、リスクを軽減する最も簡単な方法は、投資資金を最低限に抑えることだ。資金はいずれ必要な経験・知識・スキルが得られたときに増やせばいい、という考え方とプランだ。私の経験では、このリスク軽減策はほとんど意味がないし、危険ですらある。その状況は、私が気に入っているある逸話を思い出させる。施設の査察を行うために調査団が精神病院を訪れる。調査団のメンバーたちは空のスイミングプールに患者たちが飛び込み台から飛び込んでいるのを目にする。調査団のメンバーは患者のひとりになぜ空のプールに飛び込んでいるのか尋ねる。患者は、自分たちが飛び込みを覚えたらすぐにプールに水を入れると病院が約束したからだ、と答える。

一般に、ほとんどの新人トレーダーはFX市場において対処することになるリスクを部分的にしか認識しておらず、それを必ずしも正確に認識し、評価することができていない。

また、ほとんどの新人トレーダーは、実際的な経験を十分に積んでから資金を増やという方法で損失リスクを抑えようとする。資金を小さくすることが実際には損失リスクを増大させていることを理解していない。初期資金を意図的に減らすことでリスクを軽減することはできない。なぜなら、資金の大きさと資金の一部を失うリスクの程度は比例しないからだ。簡単な例で説明しよう。5000ドルと５万ドルの計２つの口座があったとする。その他の条件はすべて同じ（最低取引単位が10万ドル）で、証拠金率が４％、そして１回のトレードでは１枚の取引しか行わない。負けトレード（各々が平均1000ドルの損失）を２～３回続けると、小さいほうの口座は実質的に機能停止になり、トレードを続行するためには資金の補充が必要になることは明らかだ（**図2.1**を参照）。

図2.1　この例では、資金の60%を失い、小さな口座が機能不能に陥り、資金の補充が必要になっている。実際の資金の損失は主要通貨の1日の平均レンジの2倍に満たない額だった。一方、同じ額の損失を被った大きな口座は機能停止に陥ることなくトレードを続行できる状態にある

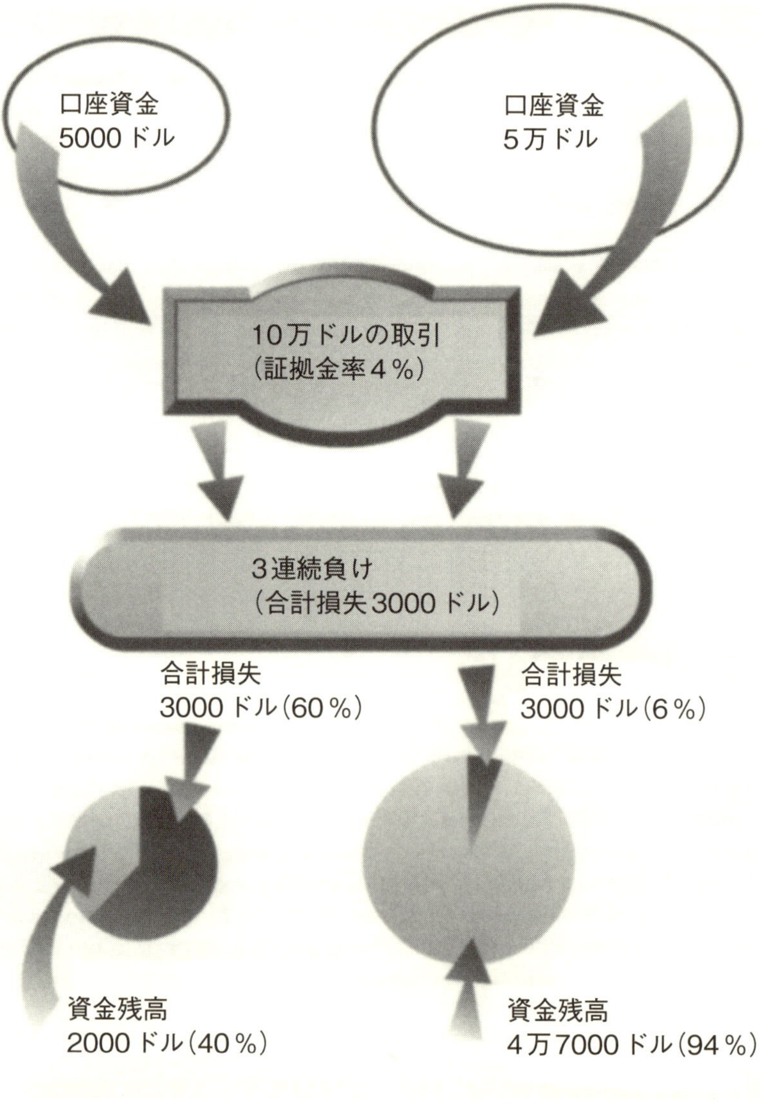

大きいほうの口座はその状況でもトレードを十分に続行できる。小さな口座よりも損失を取り戻すことが容易にできる。大きな口座と小さな口座の勝つチャンスを同じにするには、小さな口座の最低取引単位を資金に比例させて小さくするか、許容損失限度の比率を同じにするかによってのみ可能だ。どちらも現実的に不可能だ。

資金額とその一部を失うリスクの大きさは比例しない。

まっとうな取引業者での最低取引単位は10万ドルを下らないはずだ。この金額が個々の小口取引の最低標準であるといえる。幅の狭いストップを置くことによってストップが執行される確率が高まり、小さな損失の山が築かれる。

口座に少しずつ資金を補充していく新人トレーダーもいる。相場での損失を埋め合わせる程度で、リスクを抑えるために資金を一気に増やすことはせず、資金の総額は小さめにとどめておく。結果、小口で投資を行いながら、かなりの金額を失ってしまうことが多い。その損失の主な原因は、最も必要なときに資金が不足していることだ。つまり、初期資金が不十分であることが大きな弱点になってしまうのだ。

アドバイス

取引口座の資金は、市況に対応し、投資判断に必要な安全性・安定性・柔軟性を確保できるように、できだけ大きいほうがいい。取引口座の資金はトレーダーにとってひとつのツールだ。トレーダーが自分自身に課している仕事だけでなく、そのツールが使用されるビジネス環境にも対応していなければならない。スタート資金を意図的に減らすことによってリスクを軽減しようとしても意味はない。リスク軽減は「何より、トレーダーが十分な経験を積み、自信を得るまでは、最低限の取引単位で取引していく」という無理のない方法で行わなければならない。

取引口座の資金はトレーダーが使用するツールであり、そのツールが使用されるビジネス環境にも対応していなければならない。

オーバートレードというリスク

大多数の新人が犯す２つめの過ちはトレードをやりすぎるリスクだ。この問題は取引資金が不十分であることに直接関連していることもある。ただほとんどの場合、資金の不足とはまったく関係なく、マネーマネジメントの主要原則に関する知識の欠如、つまり取引資金の管理能力が不足していることが原因だ。取引資金は、トレーダーがお金を稼ぐのために使用するツールだ。トレーダーはこのツールが破損したり、紛失することがないよう気をつけなければならない。なぜならこのツールがなくなったり、壊れてしまったら、トレードを続けることができなくなってしまうからだ。

事前にリスク限度を設定する

オーバートレードは、トレーダーが（最大限の利益を狙って）１回の取引に資金の大部分をリスクにさらしてしまうような、取引サイズを大きくしすぎた場合に起こることが多い。相場がポジションと逆に動くと、可能損失が許容限度を超えることがある。結果、運転資金が修復不能なダメージを受け、その口座での取引が続行不能になる。その口座は、たった１回の取引で生じた損失を回復できないために、それ以上トレードができなくなる。現在の状況では、多数の銀行や取引業者が20倍から50倍（場合によってはそれ以上）のレバレッジの証拠金取引を顧客に提供している。業界平均の必要証拠金率はわずか２～３％だ。１日当たりの平均的な相場変動を考えれば、資金の半分や大部分を失うことはいともたやすい。そうならないようにするために、

図2.2　最大の証拠金率（最大のレバレッジ）を使用した１回の取引で、左の口座のトレーダーは総資金の50％を失った。損益ゼロに戻すためには、残りの資金に対して100％のリターンを得る必要がある。右の口座のトレーダーはリスク限度を超えておらず、ピップス的には同じ損失を被りながらも、資金的にまったく支障が生じていない

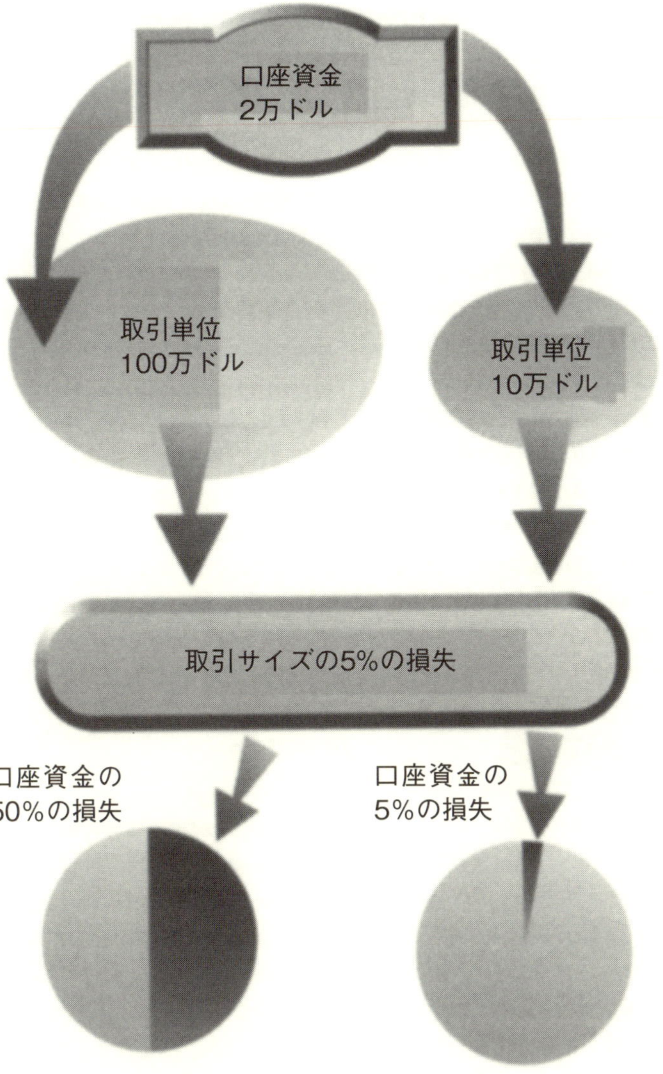

自分で証拠金の使用限度を設定し、１回の取引に資金の５～10％以上を投入しないようにすることが望ましい。トレーダーはそれぞれ証拠金に関する限度を設定し、できればその限度を取引サイズの10～20％以内に抑えるべきだ。つまり、１万から２万ドルの資金に対して10万ドルの取引をひとつ行うようにすることだ（**図2.2**を参照）。

10万ドルが大多数の取引業者において最低取引単位になっている。オーバートレードの問題については第11章で詳しく説明する。

アドバイス

FX市場における投機取引では、資金がこれだけあれば負けることはない、という決まりはない。新人でもそのことを頭にたたきこんでおくべきだ。稼げる可能性があるところ、資金の一部もしくは全部を失うリスクは必ず存在する。FX市場も例外ではない。稼ぐには、失うというリスクをとることが必要だ。だが、リスクをとるにしても、そのリスクの限度を事前に決めておかなければならない。資金の全部または大部分を１回の取引でリスクにさらすことは絶対にだめだ。失っても取引口座に破滅的な影響を及ぼさない、トレードの続行に支障を来さない程度の金額だけをリスクにさらすべきだ。

第 3 章

適切な取引会社を選択する

Choosing the Right Dealer

FX市場で投機取引をやろうという意思が固まったら、まずすべきことはトレードをするための取引業者を選ぶことだ。ここで正しい選択をするか否かはこの「事業」全体の命運を左右する。昨今、世の中には個人トレーダーや投資家向けにFX市場へのアクセスを提供する会社や銀行があふれている。何らかの基準なしに適切な選択を行うことは難しい。その基準とは、各トレーダーの関心、嗜好、手段、そしてトレード戦略・戦術にどれだけマッチしているかだ。

適切な取引業者を見つける最善の方法は、業者に尋ねる質問のリストを作成しておき、それを最終的な判断の参考にすることだ。取引口座を開く前に業者に確認しておくべき質問の例を以下に示す。最適なマーケットオペレーション条件に関する私のアドバイスも含まれている。

証拠金率とレバレッジは？

多くの信頼できる（とりわけインターネット取引サービスを提供している）業者は、証拠金率を２～５％に設定している。つまり、レバレッジは20倍から50倍になる。リスク対投資効率レシオで見れば、きわめて合理的で許容できる条件であるように思える。証拠金率が高いほど投資効率は低い。証拠金率が低いほど、業者は顧客に対して駆け引きを行い、顧客が勝つのを妨げるのなら何でもやることになる。そのような状況ではトレードで問題に直面することが多くなるため、取引をすることは難しくなる。

最低取引単位は？

現在、個人トレーダー向けにサービスを提供しているほとんどの取引業者では、最低取引単位が10万ドルなのが一般的だ。これはいろいろな意味で納得できる金額だ。限定された資金でもそこそこ効果的なマネーマネジメントを行うことができる。また、小口の個人トレーダーが為替投機に参加することを可能にしている。さらに、求められる最低預託金と実現可能な利益金額との間の釣り合いがとれているように思われる。

必要な最低預託金は？

資金が多いほどその管理がそれだけ容易、安全、柔軟、かつ効果的になることは明らかだ。投資や資金調達の手段はトレーダーによって異なる。FX市場での投機取引に参加しようとする人が、必要な安全基準に対応できるだけの口座開設資金を持っていないことはよくあることだ。トレーダーにはそれぞれ独自の安全基準があるが、個人投機トレーダーが運用に必要な資金は（議論の余地はあるだろうが)、証拠金率を２％、最低取引単位を10万ドルとして、最低３万ドルだと考えている。以下の条件を考えてみても、FX市場の状況に対応できる最低限必要な金額は３万ドルだと私は考えている。

●最低取引単位の10万ドルで取引していれば、損失は（選択した通貨ペアによるが）１日の平均値幅に相当するピップス額の600ドルから1000ドルであり、１取引当たりの損失は口座資金の２～３％なので痛みもまあまあ小さい。何回か連続して負けても、この程度の損失では口座が破綻することはない。

●マーケットの「ノイズ」の大きさが１日の平均値幅にほぼ相当していることを考慮に入れなければならない。だから、中期から長期の時間枠でのトレードで幅の狭いストップを設定することは合理的ではない。なぜなら、狭いストップは偶発的な変動によって簡単に執行されてしまうからだ。

●本書で紹介するいくつかのトレード戦略では、ドテン時に取引サイズを２倍にすることをお勧めしているが、その場合、対応する運転資金の安全を確保するために証拠金をいくらか追加することが必要になる。

●心理的なストレス、費やした時間、労力など、トレーダーの仕事は適切に報われなければならないと考えることが必要だ。もっと楽な仕事で同じだけ稼ぐことができれば、１日に14時間も16時間もトレードに費やす意味はない。簡単に考えれば、１年間で資金を２倍にすれば十分な収入になりうる。ただし、そのためには初期投資資金が十分になければならない。

ストップ注文と指値注文の設定と執行条件は？

ストップ注文と指値注文は、その時点における相場の状況、速度、方向にかかわらず、指定した価格で執行されるのがあるべき姿だ。指定した価格での約定を保証している取引業者もあるが、スリッページ発生の可能性を前提としている取引業者もある。スリッページの幅は相場の状況に応じて数ピップスから数十ピップスまでになる可能性がある。スリッページによって取引業者による不正の機会が生まれることは明らかだが、取引業者から与えられた価格に対してトレーダーが異議を申し立てることは実際上不可能だ。

スプレッドとは何で、取引単位との関係は？

スプレッドとは取引画面に常に表示されている「ビッド（買値）」と「アスク（売値）」の差だ。スプレッドが小さいほどトレーダーにとって有利になる。通常の相場における10万ドルの取引に対して５ピップスというスプレッドは適切かつ許容できる額だと考えられる。なぜなら、為替レートの１日の平均値幅の５％を超えていないからだ。一部には50万ドル以上の取引に関して５ピップス未満のスプレッドを提供している業者もあるが、50万ドル以上の取引を行う予定がないなら、どんなに活発で動きの大きい相場でも最小限のスプレッドを提供し続ける取引業者を見つける必要がある。

インターネットによる各種サービス（分析、データ、ニュース、価格、チャート）を利用したオンライントレードは？

現在では多くの取引業者がオンライン取引サービスを提供しており、今後ますます増加していく傾向にある。インターネットトレードは従来の電話を介した取次業者や取引業者との取引と比べていくつかの優位性を持っている。オンライントレードには以下の利点がある。

- パソコン上で価格情報、チャート、ニュースをリアルタイムで見ながら相場の動向を監視できる。多くの場合それらは無料であり、取引業者から提供されるサービスやトレードソフトに含まれている。
- 取引業者のトレードソフトやその他のオプションには、多くの場合、グラフィックスの加工・変更・カスタマイズ、指標を使用したテクニカル分析の実施、トレンド、サポート、レジスタンスのラインを描写する機能が備わっている。便利なだけでなく、かなりのお金の節約にもなる。テクニカル分析をやるために高価な価格情報サービスに加入したり、分析チャートソフトを購入する必要がない。

●インターネットトレードではデータが電子的にしっかりと記録される。必要なセキュリティーが確保され、トレーダーと取引業者との間で食い違いが起こる可能性が低い。食い違いは電話によるコミュニケーションでありがちな人為的なミスや言い間違いが原因で発生することが多いからだ。

コミッションなどの諸費用がかかるか？

ほとんどのまっとうな取引業者は、顧客が行った取引に対してコミッションを課していない。なかにはコミッションを課すところもあるが、あまり高くないのが普通だ。私としては、保管料なるものを請求する取引業者は許せない。金融の世界で「顧客」というものはお金を預けたら利息を支払ってもらえるもので、取引業者といえども例外ではないはずだ。まっとうな取引業者は、未決済ポジションを翌日へ持ち越すとき、LIBORレートに基づき繰り越し処理を行い、それを取引明細に反映させている。

通貨ペアと未決済ポジションが建てられた方向によっては、顧客は繰り越し時に儲けることができる。未決済ポジションを翌日まで持ち越すだけでなにがしかの金額が口座に加算されるのだ。

なかにはそのような面倒な計算はせずに、翌日へ持ち越すポジションに対して一律に金利を課している取引業者もいる。ロングとショートという正反対の２つの未決済ポジションを同時に持つことの可能性については多くの議論が存在する。その場合、取引業者の取引明細上では両方のポジションが実際に存在するものとして記されている。各々が損益を出すかたちで翌日へ繰り越される。そういう状況が生じる可能性のある取引手法をとっていたり、それをトレード戦略の重要な一部として使用しているトレーダーを私は何人も知っている。

この議論は無益で意味がないと思う。ポジションはトレーダーの意思で勝手に両建てか相殺かを決めることはできない。市場は一定の規則に従って機能し、同一通貨ペア・同一サイズの反対ポジションは自動的に相殺されるように定められている。為替のスポット市場では、1日の終わりにすべての未決済ポジションが相殺され、清算されている。翌日には、対応するサイズの対応する（反対のサインの）取引が存在しなかったために相殺されなかった分のポジションだけが存続する。例えば、当日に60万ドルの買いと40万ドルの売りのUSD/CHF取引を行った場合、翌日に繰り越されるのは差額の20万ドル分のUSD/CHFのロングポジションだけだ。お分かりのように、ポジションが相殺されており、損失または利益がトレーダーの口座に反映される。

反対のポジションを翌日まで持ち越すことを許可したり、奨励している取引業者がいるのには簡単な理由がある。取引業者が現実に存在しないポジションに対して金利を課すことができるからだ。取引業者は、トレーダーが相場を張っていて、その状況から抜け出すために現実には存在しない両方のポジションを清算する必要があると錯覚させることもできる。

両方向のポジションを保持できることが有利であると考えているトレーダーもたくさんいる。負けトレードをヘッジ（またはロック）し、相場が思惑と逆に動いた場合に損失を限定することができるからだ。同時に、この可能性によって、損失は確定したものではなく、その状況から脱出する「正しい」方法さえ見つかればそのお金が戻ってくるという錯覚が生まれる。このような意味のない「偽薬」的な方法を使わなければトレードの心理的ストレスに耐えきれないなら、このビジネスへの参加を考え直したほうがいいだろう。

「ヤミ業者」で取引するリスクとは？

トレーダーはお金を取引業者に預けなければならないのだから、法律的な事項（つまり政府機関によって策定されたFX市場における銀行、取引業者、取次業者の営業を規制・統制する一連の法律）はきわめて重要だ。まず、預けたお金が安全であり、信託義務違反を犯さない取引業者であることを確認したほうがいい。

私は弁護士ではないので法的事項について専門的な助言を行う権限はない。大多数の取引業者は、私の知らないさまざまな法的規制が存在するさまざまな国々で営業を展開している。だから、私自身の経験と好みに基づく範囲でしかアドバイスできない。いずれにしても、自分自身で調べ、できれば弁護士から専門的な助言を受けたほうがいいだろう。以降の各項目では、FXトレード資金のセキュリティーの観点から、取引業者の選択に関する私なりの意見を紹介する。

取引業者・取次業者の問題――顧客の信頼を裏切る行為は広範に存在する

FX市場における顧客と取引業者の関係を規制する法律や、為替投機取引に関連する取引業者や取次業者に対する政府による統制が存在しない国はたくさんある。このことが、顧客の資金が相場投機に使われたり、不当な手数料が課せられるなど、顧客に対する裏切行為が行われる主な原因だ。

大多数の取次業者——とりわけ小さい会社——はヤミ業者だ

ヤミ業者（バケットショップ）とは、FX市場と直接関係を持っておらず、本物の市場で本物の取引を行っていない業者だ。連中がやっていることは、実際には顧客であるトレーダーと自分たちとの間で相場の変動を利用してサシの賭博をしているだけの、トレードという幻想を作ることだ。その賭博は実際の相場に基づいているが、本物の市場とはまったく関係がない。顧客が勝つと取次業者の資金から支払われる。顧客が負ければ資金は取次業者のポケットに残る。

多くの場合、ヤミ業者は営業上合法であり、政府による統制を受けていない

ベテラントレーダーは、ヤミ業者のやり口についておおむね理解しているが、問題視することは少ない。損益の出所に大した意味はないと考えている。だが実際には、そのような考え方は大きなトラブルにつながる。取次業者が顧客の損失をできるだけ大きくしようとすれば、顧客であるトレーダーと取次サービスを提供している業者との間で利害の対立が発生する。そのような取次業者は、金融市場における顧客の取引を困難にするためなら何でもやるのが普通だ。連中は、提供していると称しているサービスに対して顧客が支払うべき各種コミッションや手数料から、実際の市場価格と異なる価格を提示するという価格操作まで、さまざまなツールを取りそろえている。オーナーたちが会社を解散し、顧客の資金を持ち逃げしたケースもある。そんな詐欺被害の話はインターネットでいくらでも見つけることができる。

ヤミ業者を見極める方法

以下の基本的な特徴を調べてみれば、その会社がヤミ業者であるか否かをかなりの精度で見極めることができる。

●必要最低預託金が１万ドル未満
●証拠金が２～４％未満か、まったく規定されていない
●LIBORレートに基づく一般に受け入れられている規則以外の何らかの基準でポジションが翌日に繰り越され、固定または変動レートでの金利支払いがトレーダーに求められている
●取引ごとのコミッションや保管料など、必要以上の費用が存在する
●同じ為替レートの両方向のポジションを無制限に保持することができ（いわゆるロックまたはヘッジ）、顧客の取引明細に反映される
●自動執行されるストップ注文と指値注文の設定に関して不合理な制限が課せられていて一定限度を超えた場合に現在値近くに設定できなかったり、自動執行注文の使用に関して何か不合理な制約が課せられている

ヤミ行為は米国、東欧、東南アジア、オフショア圏の業者を中心にまん延している

ヤミ行為があまりにもまん延しているため、米国、東欧、東南アジア、オフショア圏の業者との取引はお勧めしない。安全第一に徹すべきだ。FX取引口座を開くべき最善の地域は西欧、とくに英国だ。評判のいい、簡単にチェックできるヨーロッパ企業か、評判のいい国際銀行のヨーロッパ子会社が、信頼できるサービスを受けられる最善の選択肢だ。さらに、英国にはFX市場の取引業者を取り締まる証券先物機関（SFA＝Securities and Futures Authority）という政府機関が存在する。

最終的に決める前に取引口座の開設と取引に関する条件のチェックを忘れずに

取引口座の開設と取引の実施に関して考慮すべき事項には、預託金に金利が付加されるか、分離保管口座を開設できるか、銀行保証に基づき取引できるか、口座間資金移動のスケジュール、争議や和解に関する規則などがある。取引業者の正しい選択はトレードのパフォーマンスに大きく影響する。

最近の動向

この数年間にFX取引の世界では、プラス、マイナス、両面でいくかの重要な変化が見られた。

まず３つのプラスの変化を示す。

1. 2006年、米国でFX取引業界に対する政府による規制が強化された。現在では、米国内の顧客にサービスを提供する海外取引業者を含め、全米先物協会（NFA）が米国で営業しているほとんどの取引業者と外国為替紹介会社（IB＝Introducing Broker）を規制している。そのため、トレーダーや投資家が不正の犠牲者になる確率は大幅に低下している。
2. 取引業者間の競争激化によって、トレードソフトが進化し、スプレッドが狭まり、執行が速く正確になるなど、サービスが向上している。
3. まっとうな取引業者でも１万ドルという小口単位での取引が可能になっている。学習段階で大金をリスクにさらさずに本物のトレードができるため、初心者にとってはうれしい傾向だ。

しかし、これらプラスの変化とともに、マイナスの変化も２つあった。

１つ目は、全体的なサービスの質を向上させた取引業者間の競争激化が、同時に、ほぼすべての取引業者をヤミ業者とみなすことができる状況をもたらしたことだ。今日、取引業者は顧客、とりわけ小口の個人トレーダーに対しては、相対取引を普通に行っている。一部の大手取引業者は、収入を増やすために、１億ドルをはるかに超える顧客のポジションを市場でカバーすることなしに保持している。一見、何の問題もないように思えるが、まるでカジノのように、胴元は必ず勝つもので、顧客の取引資金のほとんどは遅かれ早かれ取引業者のポケットに入ることになる、という図式を想像してしまう（取引業者の内部統計によれば、顧客の総取引資産の約60％が毎年取引で失われている）。しかし、胴元がゲームのあらゆる側面をコントロールできるカジノとは異なり、取引業者がそのエクスポージャーをカバーできないほど急激な変化が相場に起こることがある。予期できないほど瞬時に為替相場が大きく変動すれば、取引業者が顧客に対して経済的な義務を果たすことができなくなるレベルのダメージを受けることがある。

もうひとつ私がどちらかといえばマイナスであると考えている変化は、ほとんどの取引業者が証拠金率を引き下げていることだ。現在では0.5％というきわめて低い証拠金率を提供している取引業者を見つけることもそう難しくない。証拠金率が低ければ、顧客は少ない資金で大きな利益を稼ぐチャンスがある。しかし、高いレバレッジを掛ければ１回の取引で瞬時に全資金を失う可能性もある。金融市場における取引がカジノまがいのビジネスになってきているような気がして、私にはいいことだとは思えない。

Part 2

取引手法を開発する

Developing a Trading Method

いちばん難しいところは、人間の心理的要素のコントロールだ。なぜなら、現実の世界では、人間の行動に影響を与える心理的な要素を完全に排除することは不可能だからだ。

本書の読者は、解決すべき問題の定義と識別から始まる、取引手法の開発プロセスを理解することがきわめて重要だ。それから、根幹になるアイデアができたら、効果的な取引原則の策定とシステム的な取引手法の包括的なコンセプトの作成へ進む。読者がイグロックメソッドのエッセンスとロジックを理解することによって、あいまいな感情や願望を具体的な目標へと進化させ、有効なトレードテクニックを開発できるようになることを私は望んでいる。私はこの学習方法がいちばんいいと考えている。私の思考過程をたどることができるだけでなく、本書から得られた情報を用いて、プロとしてだけでなく、個人としての見聞を広めることができ、入手した情報を客観的に評価できるようになるからだ。

そのため、本書では、書籍、マニュアル、研修資料などで従来から一般的に教えられている順序をとらず、私が取引手法を開発した順序で記すことにした。このパート２の最初の第４章ではトレーダーの心理を取り上げる。多くのトレーダーに共通する心理的な問題を取り上げ、厳密にメカニカルなトレードシステムを構築することなく「システム的」な取引手法へ切り替えることが必要であることを結論として証明する。その思いと日々のトレードにマイナスの影響を与える大きく恒久的な心理的ストレスを排除する必要性から、私は本書で紹介する新しいシステム的な取引手法の開発を思い立った。

第５章では、最適な取引手法としての基本的な要件を定義し、それに基づきトレードシステムを構築する。次に、効果的なトレードの基本原則に対応するトレードツールを使用して、取引手法の開発に関するいくつかの基本的な要素について説明する。これは、私自身のアイデアと工夫を加え、第７章で説明する効果的な取引手法の基本的な構成要素として使用されることになる。

トレーダーはそれぞれの形で、それぞれの性格や気質に従って、過ち、失敗、損失を経験していくものだ。

第4章

投機取引における心理的課題

Psychological Challenges of Speculative Trading

トレーダーとしての成功は、トレードの過程で生じることの多いストレスの高い状況で、いかに心理的な安定性を保てるかに大きく依存する。理論的な知識は専門書を読めば得られるが、実践的なスキルと経験は実際のトレードでしか得られない。最も難しいところが心理的ストレスのコントロールだ。なぜなら、現実の世界では人間の行動に影響を与えるストレス要素を完全に排除することは不可能だからだ。ストレスという要素を過小評価していると、手痛いしっぺ返しを食らったり、トレードを合理的に判断する能力が完全に妨げられてしまうこともある。FX市場をはじめとするあらゆる市場におけるトレードでは、心理的ストレスがきわめて大きい。トレーダーは恒常的に心理的プレッシャーを受けながら、予測の難しい不確実な相場で判断を下さなければならない。

トレーダーはそれぞれの方法、それぞれの性格や気質に従って、過ち、失敗、損失を経験していく。その失敗を、自分の完璧な予測に反し、自分の考え抜かれた投機計画を台無しにした「相場の間違った動き」のせいにするトレーダーもいる。あとから考えれば簡単なことなのに、その場で正しい判断を下せなかった自分自身と自分の能力を責めるトレーダーもいる。その肝心な場面でどう判断すべきであったか、あとで考えてみれば合理的に見極められることが多いのは興味深い事実だ。なぜあとになるとそれほど容易かつ迅速に正しい判断が下せるのだろうか？　なぜ肝心な場面でできなかったのだろうか？　今日の視点から昨日の状況を見れば、ということでは十分に説明できないと思う。古典的なテクニカル分析ではほんとどの相場状況に関して複数の説明が成立する、ということでも説明できるとは思わない。事後であれば、どんな相場変動についても適切な説明を見つけることができる。だが、頭に血が上っているときは、ストレスによる影響を受け、間違いが生まれる。このことは、ほとんどの新人トレーダーがバーチャルトレードでは並はずれた（ときには驚異的な）結果を出すのに、本物のお金でトレードすると、その足元にも及ばない結果しか出せないという事実からも明からだ。

恒常的にストレスを受けていると、十分に考えず、衝動的に間違った判断を下し、損失を出したり、まだ儲けられるのに早めに仕切ってしまうトレーダーは多い。何回か連続負けを喫すると相場が怖くなってしまうトレーダーもいる。ぼうぜん自失の状態になり、何でもない相場でもパニックを引き起こすようになる。感情を抑えたり、状況を冷静に評価することができないため、合理的であるなしにかかわらず、決断ができなくなる。多くの場合、相場が保有ポジションにとって不利な方向へ動いても、損失が膨らんでいくのを指をくわえて見ていることしかできない。なぜなら、決断というものがまったくできないからだ。ところが、相場が鎮静化すると相場の動きを落ち着いて分析できるようになり、失敗の主な原因が知識や訓練の不足ではなく、自分自身の感情の問題であることに気づく。だが状況を元に戻すことはできない。時は過ぎ去り、お金は失われ、すべてを一からやり直さなければならない。

深刻かつ破滅的な結果をもたらすもうひとつの問題が願望的思考だ。つまり、自分の相場予測だけが正しいと確信しているのだ。相場にサプライズはないし、あってはならないと考えている。役に立つ可能性のあるほかの選択肢を考慮しなかったり、ほかの選択肢をあいまいで不確実な形でしか考えない。自分のポジションにとって不利な相場変動は短期的かつ一時的であると考え、ナンピンを始める。相場はいずれ上昇すると願いながら安値で買い増し、ポジション全体での収益性を高めようとする。その後、状況がさらに悪化しても、大きな損失なしに手仕舞いすることが可能になると考える。自分が正しいことを確信し、相場、ひいては自分のポジションを客観的に評価する能力を失ってしまう。自分の願望的思考を裏づけるテクニカルパターンだけに目を向け、都合の悪いシグナルは無視してしまう。そのような願望的思考はかなり高くつき、心理的な挫折をもたらすことがある。「相場の間違った動き」はトレーダーから資金を少々奪うだけにとどまらず、取引口座を根こそぎ奪い去ってしまうことが多いが、トレードという戦いで勝者になるという自信と望みも踏みにじってしまう。

そのような損失を被ると、トレーダーは自分自身を責め、失敗したトレードを何度も細かく振り返る。「相場の間違った動き」や、あとで考えてみればあまりにみえみえの状況で失敗した自分を責める。ときには、トレーダーと市場が敵同士のようになってしまうことがある。トレーダーは市場を敵のように考え、嫌悪感をあらわにし、常に復讐することを考えている。天気が晴れから雨に変わったことに関して自然を責めているのと変わらないことに気がつかない。変化に対しては、事前に備えておくことがきわめて重要だ。先見性によって好機や利益がもたらされるように、状況や天気の急変に備え、常にいくつかの選択肢を用意しておかなければならない。

３つ目の心理的問題は、特にトレーダーの経験、能力、スキルが不足している場合の不確実性、つまり保有している各ポジションに対する確信のなさだ。ポジションを建てた途端、トレーダーは自分の選択に疑問を感じ始める。それは、仕掛け値の近辺で変動しているようなおとなしい相場で最も顕著に現れる。自分のポジションに対して不利な動きが少しでもあると、相場が仕掛け値から大きく離れて手遅れになってしまう前に、損失を限定するために建てたばかりのポジションを手仕舞いたくていたたまれなくなる。一方、相場が少しでも有利な方向に動くと、利益が（たとえ少しでも）乗っている間に、その利益が損失に変わってしまう前に、ポジションを清算したいという衝動に駆られる。

恐れと不安でいっぱいのトレーダーは、焦り、動き回る。仕掛けと仕切りを頻繁に繰り返し、無数の小さな損失と利益を積み上げる。気持ちが強気と弱気でせわしなく切り替わる。その結果、相場に格別な動きがなく、単なる「ノイズ」による変動しかない状態では、取引業者が課すスプレッドとコミッションによって損失を被ることになる。資金の少ない、経験が乏しい、心理的な準備が不十分な初心者や個人トレーダーに典型的な損失だ。

事前に相場を真剣に分析して計画を立てることもなく、直感的に判断を下しているトレーダーもけっして珍しくない。衝動的に根拠もなしに、感情的に反応してポジションを建てる。その行為の多くは、相場が提供している絶好の機会を逃してはならないという恐怖心のなせるわざだと説明できる。発車する電車の最後の車両に飛び乗ろうとして破滅したトレーダーを私はたくさん見てきた。どんな種類の相場変動でも落ち着いて見ることができないトレーダーも多い。私の生徒のなかにもそういうトレーダーがいた。相場が大きく動いたときにポジションを持っていなかったら、稼ぐ機会を逸したと考え、それだけで大きなショックを受けしまうのだ。

ポジションを持っていなければ、相場を両方向で考え、簡単に反転する可能性もあることを認識できるかといえば、そうではないようだ。統計的に、相場変動によって損失を被る確率が利益を得る確率よりもはるかに高い、ということはない。ふだんは銀行窓口の職員が他人のお札を勘定するのを冷静に見ていることができるような理性的な人たちが、相場変動が自分の懐に対する脅威とどうして感じてしまうのだろうか？　銀行員が手にしている他人のお金が失われた自分の利益であるとは考えないのに、市場における資金移動に対応する相場の変動のせいでネガティブな感情が生まれるのはなぜだろうか？　その答えは、市場では大金を簡単に儲けられるという幻想があるからだと私は考えている。同様な幻想は新人FXトレーダーの間にも広く見られる。そういう幻想を早く捨てることができれば、それだけ早く一人前のトレーダーになることができる。

経験を問わず、すべてのトレーダーにとって最も難しい問題は、このビジネスでは避けることのできない損失から早く立ち直る方法をできるだけ早く学ぶことだ。同時に、損失のショックや心理的打撃に対処する方法も学ばなければならない。放置しておくと将来の行動にマイナスの影響を与える可能性があるからだ。

損失そのものと損失を被ることへの恐怖は、複雑な状況において合理的な判断を下す能力にマイナスの影響を与える。どちらもトレーダーの心を痛め続け、トレード戦略やトレードシステムのルールに従う能力を弱める。

私は何百人ものトレーダーと個人的に知り合い、その人たちのすることを見てきた。たくさんの教え子がいるし、私自身もFX市場でさまざまな段階での経験を持っている。そのことから、為替投機取引における失敗の主な原因には心理的トラウマ——自分の感情をコントロールし、ストレスに対処する適切な方法を見つける能力の欠如——が間違いなく関係していると確信している。

ストレスの大きい状況への抵抗力を高め、トレードの有効性を向上させることを中心に、私はFX市場における取引から生じる心理的な問題を解決する方法を探求してきた。その結果、ショックに耐え、感情をコントロールしておくことにも役立つ取引手法を開発することができた。ストレスの問題を解決するには、問題をいくつかの部分に分け、ひとつひとつ解決していくことが必要だった。

まず、相場に対する姿勢に関して「哲学的コンセプト」を構築する必要があった。それは、本書の後半で説明する取引手法だけでなく、相場や、私自身を含むほとんどのトレーダーが日々克服する必要がある心理的問題に関するコンセプトも含めてだ。私のコンセプトにとって「意見を持たなければ間違うことはない」という基本原則はきわめて重要だ。

この基本原則はトレードにまつわる無用なストレスと感情を回避する方法を考えていたときに思いついた。相場の見通しに対する自分の意見ではなく、相場のシグナルに基づいて合理的な判断を下す方法を見つければ、心理的プレッシャーとストレスを軽減し、ほぼ完全に排除するという目的は達成される。その場合の主な問題は、トレンド――人間のコントロールや予測を超えた自然現象――に対する哲学的なスタンスだ。

秘けつは、こうした自然現象を有利に活用する、安全かつ効果的なトレード戦略の開発だった。この基本原則は論理的であり、トレード戦略のコンセプトを開発するための基礎になると思われた。だが現実には、この作業にはかなりの時間を要した。とはいえ、この基本原則は、私が「裁量的システマティックトレーディング」と呼ぶシステムトレード手法の開発の基礎として使用された。

基礎となる基本原則とコンセプトから中間的な結論を経て、私は取引手法の開発にたどりついた。この手法は、感情を排除したトレードを可能にし、為替投機で稼ぐためのきわめて効果的かつ収益性の高いツールになった。

私の論拠の論理的な連鎖と中間的な道筋を以下に示そう。

アイデア1　ネガティブな感情とストレスの主な要因は、将来の相場動向に関するトレーダーの見方に基づく予測が当たらなかったことにある。

アイデア2　不要な感情や心理的プレッシャーを避けるには、将来のトレンドに関するすべての考えを完全に捨てたほうがよい。なぜなら、その考えが予測を形成し、その予測が間違う可能性があるからだ。

アイデア3　「意見を持たなければ間違うことはない」という原則の基本的なアイデアは、トレード結果の道義上の責任をトレーダーからマーケットへ移すことにある。そうすれば、相場の変動をいわゆる「神の意志」や「自然界の力」の現れとみなすことができるため、トレーダーの責任ではなくなる。

アイデア4　予測をせずに利益を得ることは、相場を予測するのではなく、トレンドをフォローすることによってのみ可能になる。

アイデア5　相場変動をフォローすることは、システムトレードの手法だけを使用し、それらの変動を効果的にモニターするトレード戦略を開発することによって可能になる。

アイデア6　このアプローチの最高の手法のひとつとして考えられるのは、相場が両方向へ動く可能性を客観的に評価することだ。

この単純な思考パターンに従うことによって、私は次に示す最終的な結論に到達することができた。

結論

心理的問題の最も簡単な解決方法は、自分の見方や予測に基づくトレードをやめることだ。事前の計画に従って自動的に判断を下すシステムトレードだけがその機会を提供する。システムトレードへ変更することによって心理的プレッシャーが軽減され、心理的ストレスに関連するたくさんの過ちが避けられるため、問題の解決に役立つ。システムトレードそのものは、メカニカル（機械的）な判断によって利益を増やすことに役立つだけでなく、トレーダーにとってきわめて大切な心理的な快適さも提供する。

第 5 章

裁量トレードとメカニカルトレード

Discretionary versus Mechanical Trading Systems

メカニカル（機械的）なトレードシステムを活用すれば、判断が容易になり、利益を増やすことができるだけでなく、心理的な快適さも得られる。

前章の結論には特に目新しいことはない。要は、トレードをするたびに感じる大きな心理的プレッシャーを軽減するには、システムトレードへ切り替える必要があると私が認識したということだ。

実際問題、すべてのトレーダーが何らかの手法を活用している。裁量的な手法を使うトレーダーもいれば、メカニカルなトレードシステムを好むトレーダーもいる。メカニカルなシステムにはファンダメンタル分析の要素が含まれていないため、一連のルールをコンピューターソフトへ簡単に組み込むことができる。ソフトウエアシステムを使い、だれでも簡単に理解できるトレードシグナルを出力させることができる。メカニカルシステムを作成してしまえば、あとはコンピューターが生成するシグナルを監視していればいい。システム開発が完了すれば創造的な仕事は終わる。日常的に見れば、裁量トレーダーは（毎回新しい芸術作品を創作する）芸術家であり、メカニカルシステムを使用しているシステムトレーダーは（毎回、自分や他人が作成した作品をコピーする）職人に近い。

トレードシステムを自分で使用するためにだけ開発するトレーダー

もいれば、いわゆるグレーボックスとかブラックボックスと呼ばれるコンピュータープログラムを販売目的で開発しているトレーダーもたくさんいる。その値段は数百ドルから数十万ドルまでとかなり幅が広い。特定の企業や銀行向けに開発されることもある。どんなプログラムであれ、肝心なことは、コンピューターソフトが発したシグナルに従ってトレードを行うことができることだ。

どちらのグループに属するトレーダーになるかを決めるために、それぞれの手法の長所と短所を洗い出してみた。まず、知人で成功している個人トレーダーの多くが自作のメカニカルトレードシステムを使用しているという事実に注目した。大多数の成功していない個人トレーダーはある種の裁量的な取引手法を用いていた。両手法を比較分析することで、その原因を知ることができた。また比較分析によって、両手法の長所と短所も明らかになった。みなさんも自分で調べることができるだろうが、自分独自の取引手法を開発しようという決断の後押しになった私の結論を紹介しよう。

裁量トレードには次の２つの長所があることが知られている。

1．トレンドの変化に迅速に対応できるため、相場の状況に応じたトレード戦略、戦術を柔軟に選択できる
2．トレード資金の額やトレードに充てられる時間など、トレーダーの個別事情を考慮して、ひとつのトレードテクニックをさまざまにカスタマイズすることができる

裁量トレードのきわめて深刻な短所は、ストレス要因の影響によって成果が不安定になることだ。トレーダーの気分や健康状態がトレードの結果に大きく影響することになる。

メカニカルシステムを使用すれば、ストレス要因がほぼ完全に排除され、トレーダーに対するマイナスのプレッシャーが軽減されるのが

普通なので、プラス要因になることは明らかだ。だが、相場の何らかの特性が変化した場合にトレード戦略を臨機応変に調整できないことも事実だ。例えば、資金額が変化するなど、状況の変化に応じてトレードシステムを柔軟にカスタマイズすることができない。

これらのことから、両手法の長所を備えながらもこうした短所を持たない、自分独自の取引手法を開発することを思い立った。

作業を進める前に、その作業を正確に定義することが必要だった。最終ゴールが正確に分かっていれば、そこに到達する道ははるかに容易になる。私のゴールと利用可能なツールに従って、開発するトレードシステムの基礎となる要件の定義から取引手法の構築を開始したのはそのためだ。

理想的な取引手法として、私の頭のなかには次の８つの条件があった。

1. トレーダーのどんな心理的特性に対しても最大限に調整可能であること
2. 普遍的であること、つまりいかなるトレンドに対しても有効性と収益性が維持されること
3. システム構造がシンプルであり、論理的で理解しやすく、使いやすい要素やユニットから構成されていること
4. 事前に選択されている水準に応じた明確な価格で売買シグナルが生成されること
5. トレーダーが創造性を発揮する余地が残されており、特定のケースでは選択肢から戦術的に選択することができ、隷属意識を感じさせないものであること
6. ときおり起こる相場状況の変化に対応して、システムの基本的な原理と要素に反することなく、トレーダーがシステムを進化・調整することができる柔軟性を備えていること

7．不要な感情的・心理的ストレスから解放され、快適かつ機械的に使いこなせること
8．トレーダーの経験、知識、教育訓練、資金規模などに関係なく使用できるように、カスタマイズできること

これら取引手法の条件は欲張りすぎだと思われるかもしれない。システムトレードを採用している多くのトレーダーの経験からいって、既存のメカニカルシステムやその他のトレードシステムでは、上記の条件をすべて満たすことはおおむね不可能であることが分かった。例えば、トレンド相場だと満足できるシステムでも、トレンドのない相場では機能しなくなることが多い。相場が変化するとそれまで利益を出していたトレードシステムが損を出し始めることがある。そうなれば当然のこととしてシステムを交換することが必要になる。

複雑な数式で表現されるシステムもたくさん知っているが、そういうものは作成者でもなければほぼ理解不能だ。多くの（主にメカニカルな）トレードシステムに共通する短所は、勝ちよりも負けの回数が多くなることだ。はっきりといえるのは、これらシステムの有効性は、平均利益が平均損失を上回る場合にのみ維持されることだ。

多くの有名なシステムはトレード中に調整することができない。そのため、トレーダーは相場状況に合わせて調整することなく、システムにあらかじめ組み込まれている要件に正確かつ無条件に従わなければならない。システムの要素をひとつでも拒絶すれば、有効性が完全に失われ、失敗することになる。

前述の条件をすべて満たし、どんな相場にも対応するひとつのトレードシステムを開発することはかなり困難であり、ひょっとしたら不可能かもしれない。それらの要件を満たす唯一の方法は、ひとつのトレードシステムで対応しようとしないことだと思う。つまり、個々の状況に対応したトレード戦術の基礎として使用できる、一連のシステ

ムユニットから構成される多様化されたシステムトレードの手法を開発することが必要だ。トレーダーが個々の状況を考慮して自由に選択して使用できることが必要だ。そのような原則に基づくトレードシステムは複合的で、調整可能でなければならない。それぞれの相場状況とトレーダーの資源に応じてシステムトレードを最適化するためにはこうした要素が必要だからだ。そうすれば、いかなる状況でも相場の変化とトレンドを効果的に評価できるようになる。すべきことは、その確率評価を最大の精度と最小の時間で行うためのツールを見つけることだった。これらのアイデアは開発をさらに進めるための出発点として使用された。

既存のトレードシステムを分析する過程で、ほとんどのシステムにおいて、純粋に統計に依存した部分が二次的な要素として扱われていることに気がついた。統計が大量にある場合は、その真の意味が複雑な数値計算に置き換えられている。私が統計的な確率評価手法を何とか単純化してシステム化することができれば、テクニカル分析と、場合によってはファンダメンタル分析のいくつかの要素を組み合わせた理想的な取引手法を開発することができると考えた。

第6章

テクニカル分析とファンダメンタル分析

Organization

この分野ですでに開発され、有効性と価値が実証されているすべてのものの分析を行わずに新しいものを発明しようとするのは不合理だ。あらゆる分野における人間の営みは、必ず先人の経験がさらなる進歩の基礎になっている。それはトレードも例外ではない。この章では、統計に依存した裁量的システマティックトレーディング手法を開発するための、トレード戦略とトレードシステムの基礎となるコンポーネント選びについて説明する。

システムトレードをやっていない大多数のトレーダーは、おおまかに３つのグループに分けることができる。１つ目のグループには主としてファンダメンタル分析に基づき判断を下すトレーダーが、２つ目のグループにはテクニカル分析に基づき判断を下すトレーダーが入る。３つ目のグループとしては、数は多くないものの、いずれかの手法に重点を置きながら他方も考慮しているトレーダーが入る。プロやアマのトレーダーたちが相場について話し合うインターネットのフォーラムでは、さまざまな手法の支持者の間で、論争が日常茶飯事に展開されている。だが、それらは『ガリバー旅行記』に出てくる、小人国の要人たちが卵の割り方について言い争っているのに似ている。

そんな論争は意味がないと私は考える。プラスの結果そのもののほうが、それを達成するために役だった手段よりもはるかに重要だと確信している。伝統的な形式でのファンダメンタルとテクニカルの手法には、どちらにもそれぞれ長所と短所がある。両方の取引手法の支持者たちが直面している問題から始めよう。この章では、私が検討する価値があると考えるいくつかの矛盾点について説明する。

ファンダメンタル分析の長所と短所

相場は主としてファンダメンタルズ要因に基づき変動するということは事実だとしても、ファンダメンタル分析には手間がかかるのが難点だ。ファンダメンタルトレーダーは重労働を強いられることになる。ファンダメンタル分析を本気でやろうと思えば、マクロ経済学、国際金融、政治社会などの仕組みについて深く理解していることが必要だ。さまざまな出来事を適切に評価し、為替レートに対するその影響を検討し、政治的・経済的変化から利益を得るためにトレンドを予測する必要がある。相場や為替レートに影響を与えるその他すべての要因を考慮しながら、ニュースや出来事の影響を推測しなければならない。だが、どんなにスキルの高いエコノミスト、金融専門家、政治科学者、プロの市場アナリストであっても、それらの作業を遂行できないことがある。また、大多数の小口の個人投機家は、さまざまなファンダメンタル要因が相場にとってどのくらい重要であるかを評価することができない。

実際問題として、ニュースや出来事に対する市場の反応は、理屈に合わないこと、予期できないことが多い。トレンドを正しく予測できる確率は、同じ見方をしているトレーダーの数に反比例する。つまり、ほとんどのトレーダーは、ファンダメンタルな出来事や現象に関して間違って理解していることのほうが多いため、ファンダメンタルデータに基づく近い将来の相場動向の予測を間違う。

相場予測に関して私が気がついた５つの矛盾点を以下に示す。

矛盾点1

大多数のFXトレーダーが市場に影響を与えるさまざまなファンダメンタル要因の多くを正しく解釈できていないのにもかかわらず、個人トレーダーや個人投資家の間でファンダメンタル分析に基づく投機取引が広く行われている。次の矛盾点2はこの矛盾点1と相互に関連している。

矛盾点2

ファンダメンタル分析に基づき相場を予測することは実際には不可能であるにもかかわらず、過去の出来事と相場変動に関してファンダメンタルに基づく簡単明瞭かつ論理的な説明が存在する。

主要経済指標に注意を払い、各種金融情報へのアクセスを有している個人投機トレーダーにとって、各国の全般的な経済トレンドを予測することは比較的容易だ。例えば、２つの国または地域の経済成長率を簡単に比較できるので、為替変動の主要なトレンドを高い確率で見極めることができる。短所は分析に概算値が使われることだ。概算値では仕掛けと仕切りの水準を厳密に特定できないため、短期投機には使えない。それが次の矛盾点につながる。

矛盾点3

大多数のトレーダーは長期的なグローバル経済のトレンドを利用している。だが、自主的もしくは強制的（本当はポジショントレードをやりたいのに長期トレードをやる余裕のないトレーダーを私はデイトレードと短期投機の「強制された支持者」と呼んでいる。そのトレーダーたちの資金規模は戦略的ポジションを仕掛け、維持するためには十分でない。ポジショントレードでは、ストップ注文を仕掛け値からかなり遠くに置かなければならず、資金が少ないと１回の損失で破綻する可能性がある。そういうトレーダーはもっと長期のトレードに切り替えられるように、資金を何倍にもすることを夢見ていることが多い）のいずれであるかにかかわらず、短期投機の支持者であるがために、その予測や分析の恩恵にあずかることができない。

トレーダーはさまざまな出来事や相場変動の原因を正確に知りたがるものだが、その知識はあまり役に立たない。「なぜ？」という質問はトレーダーにとってあまり重要ではない。判断を下す前に答えを得るべき重要な質問はほかにある。「どこ？」「いつ？」「どれくらい？」という質問のほうが、とりわけ短期トレードやデイトレードをやっているトレーダーにとって重要だ。多くの場合、さまざまな相場変動に関する情報は重要でない。トレーダーがその時機を逸し、その動きに参加することができなければ、その相場変動の正確な原因を知っても何の役にも立たない。相場が動いたときに未決済のポジションを抱えていたとしても、その正確な原因を知ることが評価損失を補填するために役立つこともなければ、知らなくてもその評価利益が脅かされることもない。

このルールには例外がいくつか存在するが、それでも「なぜ？」という質問が二次的な重要性しか持たないことに変わりはない。例外には、マーケットに対するニュースや出来事の長期的な影響を評価しなければならないケースがある。そのようなまれなケースにおいてさえ、私が開発した取引手法に基づくトレードは可能であり、適している。

矛盾点４

私が個人的に知っている多くのトレーダーは、金融市場における過去の変動の原因について見極めるために議論し、長い時間を費やしていることが多い。そんな知識に実際的な価値はない。なぜなら、その電車はもう発車してしまっており、市場はすでにそのファンダメンタルな刺激に反応し、為替レートを調整してしまっているからだ。

矛盾点5

テクニカルトレーダーの割合が少ない市場のほうが予測がはるかに簡単だ。例えば、ダウ平均株価（DJIA）、ナスダック（NASDAQ）、スタンダード＆プアーズ（S&P）の各指数の日足は、テクニカルに典型的で分かりやすい形状になることが多い。株式取引では伝統的にファンダメンタル分析が好まれ、テクニカルトレーダーの割合はまだまだ少ないのが現状だ。古典的なテクニカル分析ツールを使用するテクニカルに熟達した投機家が多いFX市場では、予測がそれだけ難しくなる。

次に、発せられる具体的なトレードシグナルについて考えながら、古典的なテクニカル分析の主な要素の長所と短所を見極め、最も重要な要素を選んでみよう。

テクニカル分析の長所と短所

テクニカル分析とそれに基づく取引手法は比較的新しい技術であるにもかかわらず、その支持者はきわめて多い。数々の革命的なアイデアが多くの為替投機家によって考案されるのと並行して、その支持者の数も日々増え続けている。テクニカル分析の創設者たち（ジョン・マーフィーなど）は、テクニカル分析が相場の動きを予測する唯一のツールになり、ファンダメンタル分析に完全に取って代わる可能性があると言っている。関連出版物の数も伸び､現在では初心者でさえ「ヘッド・アンド・ショルダーズ」などのテクニカル用語を普通に口にす

図6.1　テクニカル分析の教科書では、トライアングルは反転のフォーメーションだと書かれている。この図を見て分かるように、常にそうなるとは限らない。だから、間違った見方に捕らわれないように、意見や予測ではなく、実際の相場の動きに基づきトレードしたほうがいい

る時代になった。テクニカル分析はトレーダーの間で広く浸透している。金融取引向けのコンピューターソフトなら、テクニカル分析用の指標やツールを豊富に備えている。

大多数のトレード戦略とシステムはテクニカル指標を基礎に構築されている。数学に熟達した多くのトレーダーは、既存の指標やオシレーターの精度を向上させたり、新しい指標を開発しようとしている。トレードアルゴリズムが組み込まれているブラックボックスやグレーボックスと呼ばれるソフトウエアは、基本的にテクニカルな要素を基礎に開発されている。だが、テクニカル分析ではすべてのことが一点

図6.2　USD/CHFの10分足チャートは、ときとして相場がいかに大きく揺れ、ボラティリティがいかに高くなるかを示している。その激しさにもかかわらず、この図はテクニカル的に完璧に筋が通っている。チャート上に拡大トライアングルが明確に形成されている

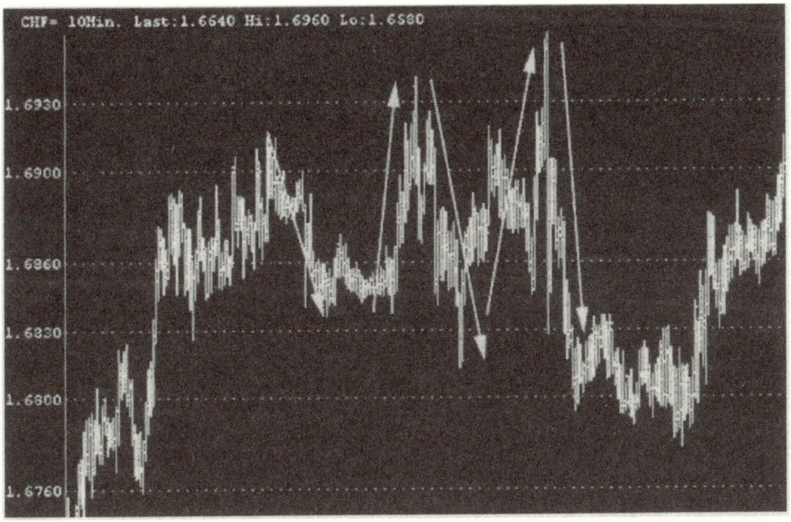

の雲りもないクリアな状態になっているわけではない。テクニカル分析の主たる難点は、ほとんどの相場が何通りにも解釈できるという不確実性にある。

そのうえ、日常的に広く使用されているテクニカル分析の基本的な要素は、教科書や出版物に記されているとおりには機能しない。**図6.1**で見ることができるように、教科書を読み、テクニカルの基本を学んだトレーダーを相場は簡単に裏切る。デイトレードや短期トレードでのテクニカル分析は、単なるマーケットノイズでしかない小幅な相場変動によって難しいものになる。そのノイズとは、ラジオ番組を聞くときに邪魔になる干渉のようなものだ。残念ながら、その干渉の大きさが短期トレードでは無視できないほどに大きく、マーケットの調和を妨げている（**図6.2**を参照）。

図6.3　USD/JPYの日足チャート上に、やや右肩上がりだがほぼ完璧なダブルボトムが形成されている。典型的なフォーメーションとして、ほかのすべての特徴を備えているにもかかわらず、メジャード・オブジェクティブ・ターゲットには達していない。ネックラインを上抜けて何度も試してはいるものの、ターゲットに達することはなかった

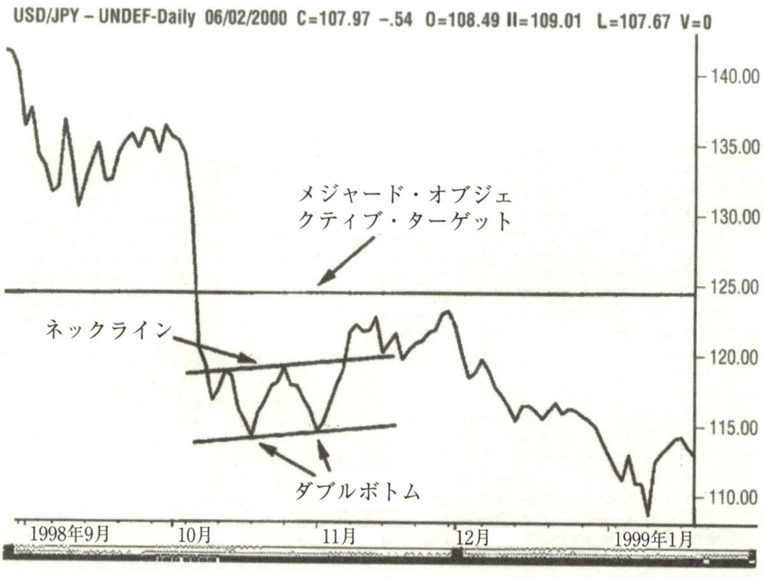

パターン

私の観察によれば、ヘッド・アンド・ショルダース、ダブルトップ、トライアングルなどの最も明確なフォーメーションが機能する確率は、この３年から５年で大幅に低下している。現在では、現れたフォーメーションが明確であるほど、次のネックラインへの試しがダマシになる確率が高く、指し示された方向と逆に大きく動くことが多い（**図6.3**を参照）。

私が知っている多くのトレーダーは、テクニカル分析の基本さえ十

図6.4　ケーブル（GBP/USD）の週足チャート。テクニカルトレーダーならきっとこの図が気に入るはずだ。インジケーターは、過去の値動きを完璧に説明することができている。ただ、残念なことに、それで儲けるには遅すぎる

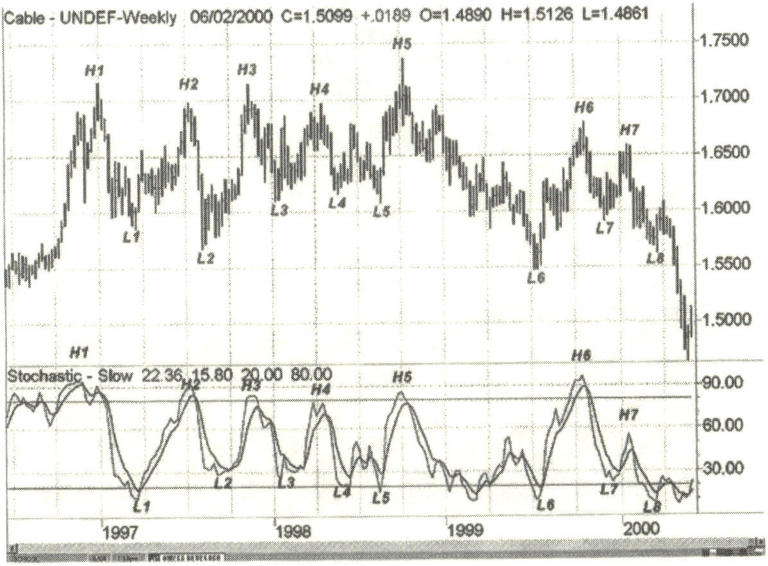

分に理解しておらず、いくつかの典型的なフォーメーションを正しく識別することも、よく知られていて実際によく使用されているテクニカルシグナルを解釈することもできない。しかし、取引水準は具体的な為替レートで選択する必要があるため、テクニカルな情報に十分に注目する必要がある。

インジケーターとオシレーター

ほとんどのインジケーターは相場をほぼ完璧に説明しているように見えるかもしれないが、よく考えてみれば、過去と現在の相場情報が

図6.5　テクニカルトレーダー、特にトレードでこの種のインジケーターに依存しているトレーダーは、きっとこの図が嫌いなはずだ。買われ過ぎゾーンに深く入り、下向きに交差してダマシの売りシグナルを発した。それ以降、このインジケーターはまったく意味をなさなくなった。相場が3600ピップス動いてからショートポジションの仕掛け値に戻るのに3年以上かかっている

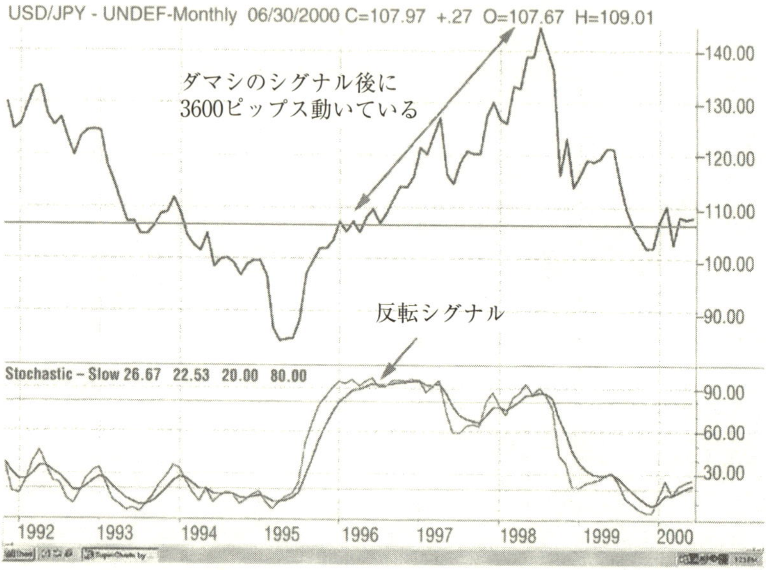

もとになっているのだから、当たり前の話だ。インジケーターのラインやヒストグラムを決定する数式には過去のデータが使われている。トレーダーはそれらインジケーターをもとに外挿法で将来を予測をしようとする（**図6.4**を参照）。

残念ながら、現実には、過去をいくら正しく説明できるインジケーターでも、将来の真の状況を予測することはできない。これらのインジケーターの主な欠点はそのプロットルールにあると私は考える。インジケーターの計算式の基礎になっているルールが、真の相場シグナルを数学的な円滑化操作によって歪めている。モメンタム・インジケ

図6.6　インジケーターは買われ過ぎゾーンから売られ過ぎゾーンへと見事に転じている。ところが相場はその悲観論に完全には同調せず、途中で下げ止まっている

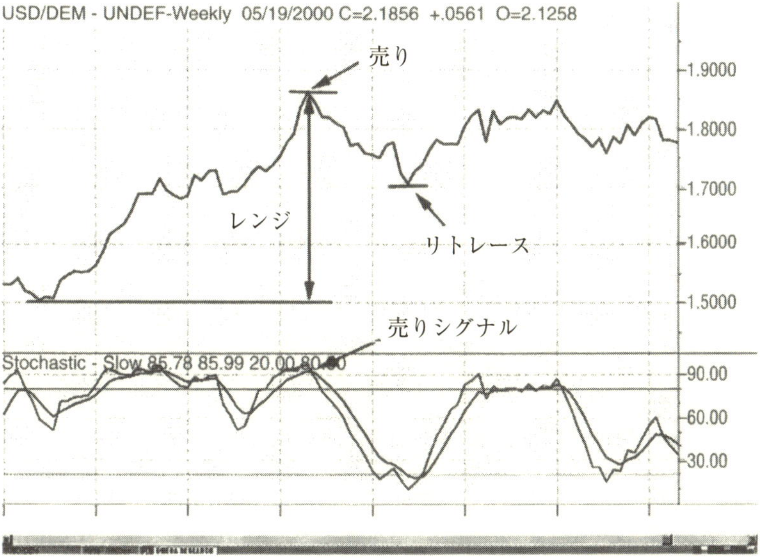

ーター・シグナルはタイミングが遅すぎることがあまりに多いし、買われ過ぎ・売られ過ぎのシグナルを発するインジケーターはバカバカしいだけだ。日足や週足チャート上でインジケーターが買われ過ぎ・売られ過ぎのシグナルを発したあとでも、相場が何千ピップスも動くことはいくらでもある（**図6.5**を参照）。

相場が仕掛け水準に戻るのを期待しながら、数千ピップスの評価損を抱え続けることは合理的な行為ではない。なぜなら、その水準まで戻ることは絶対にないかもしれないからだ。リトレースの幅が仕掛け水準からの値幅よりも小さいかもしれない。その場合、相場が仕掛けの水準に達する前に、インジケーターが買われ過ぎゾーンや売られ過

図6.7　USD/CHFの週足チャート上の２種類のきわめてポピュラーなインジケーターが相反するシグナルを発している。投資判断を下すにはさらなるリサーチが必要だが、ほかのインジケーターも相反するシグナルを発していたらどうすべきか？

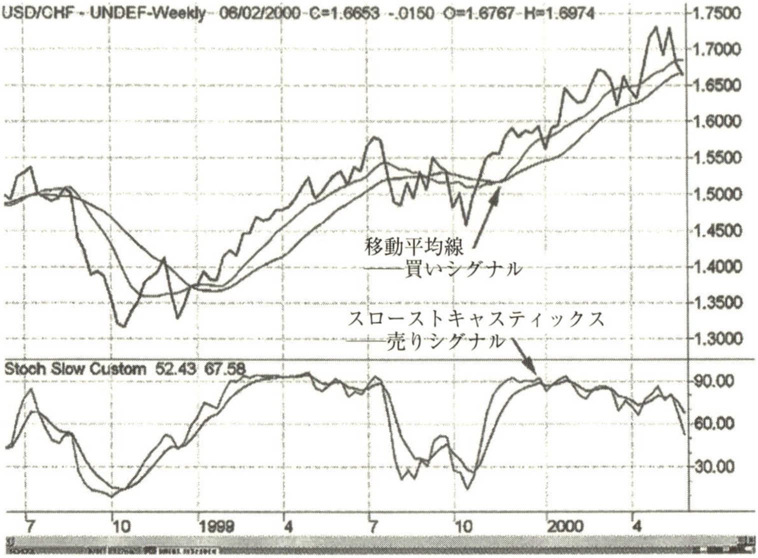

ぎゾーンを通り過ぎてしまうことがある。相場はそれから手持ちのポジションとは逆方向の動きを再開する。トレーダーはそのような状況に毎日のように直面しているが、ほかにもっと良いツールがないために、トレードシステムの開発にもこの手法を使うしかないとあきらめている（**図6.6**を参照）。

多くのトレードシステムでは複数のインジケーターが併用されている。だが、インジケーターは、それぞれ矛盾するシグナルを発することがある（**図6.7**を参照）。そのため、状況に応じてインジケーターを取捨選択する必要がある。インジケーターの選択にはかなりのスキルと経験が必要だが、スキルがあってもうまく選択できないことが多い。ダマシを排除するためにさまざまなフィルターを使用しているトレーダーも多いが、それがシステムを複雑にし、有効性を低下させていることがある。そのようなトレードシステムでは（十分に信頼できるものではないにもかかわらず）分析と意思決定に要する時間が長くなる。そのようなトレードシステムはダマシのシグナルを発することが多いため、統計的に負けトレードの割合が大きくなる。そういうシステムが利益を出せるのは、１取引当たりの平均利益が平均損失を上回る場合だけだ。その場合にだけトレーダーは成功することができる。ただし、システムの信頼性が高く、有効なトレードシグナルを発するからではなく、主としてトレーダーのマネーマネジメントのスキルとテクニックによってだ。

テクニカル分析の理論

考案者の名前が冠されているテクニカル分析（例えば、フィボナッチやダウのリトレースメント理論、エリオット波動理論、ギャン分析手法）は役に立たない。エリオット波動理論は相場の過去の出来事を正確に説明できることはあるが、将来についてはおおまかな予測しか提供できない。同理論は儲けるための本当のツールではなく、心理的なエクササイズにしか使えないと思う。ひとつのケースに対してたくさんのオプションを想定しており、豊富なトレード経験が前提になっている。つまり、同理論は一般トレーダー向きの実用的なツールというよりも、知的トレーダー向きの脳トレパズルにしかすぎない。エリオット自身でさえ同理論を使って本物の市場で実際に儲けることができなかったことを覚えておこう（**図6.8**を参照）。これとは対照的に、リトレースメント理論は私の取引手法においても容易かつ無理なく使うことができる。なぜなら、実際の状況で厳密なレート水準を指し示すことができるからだ。戦略や戦術を選択するときにこれらの値を参考にし、時間枠に応じたトレードプランを練ることができる。

図6.8　トレンドだけでなく、リトレースとそのターゲットも明確だった。その理由は私にはいまだに分からないが、USD/JPYはほかの通貨ペアと比較してフィボナッチレシオに最も忠実に従う傾向がある

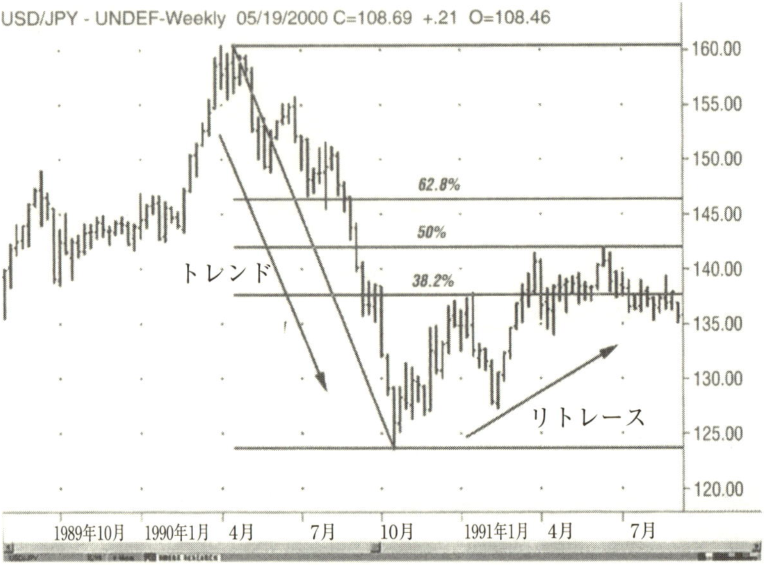

サポートとレジスタンスの理論

この理論はリトレースメントの理論よりも精度が高いため、私の取引手法の開発に最も適しているもののひとつだと考えている。仕掛けや仕切り時の売買水準がこの理論では具体的なレートで表される。この理論では計算が大幅に単純化されており、ほぼ理想的な損益予測を提供する。さらに、一連のインジケーターをベースにしている取引手法やシステムにありがちな短所と無縁だ。変動の円滑化による影響もなく、遅すぎるトレードシグナルもない。だが、フォーメーションに基づくトレードのように、シグナルがダマシになることがある（**図6.9**を参照）。

図6.9　USD/DEMの日足チャート上のトレンドライン。注記はしていないが、いくつかのトライアングルもどきのパターンが明確に形成されている

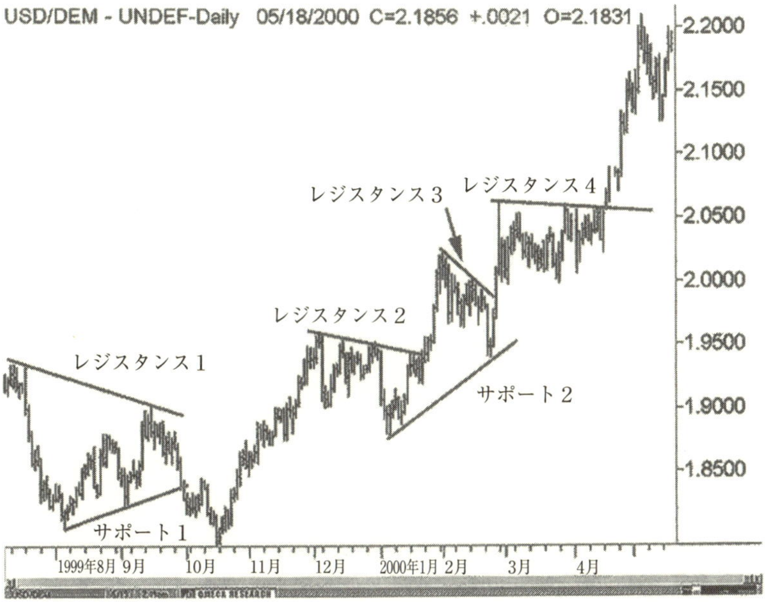

チャート――ポイント・アンド・フィギュアと日本のローソク足

これらチャートはいずれも、値動きを忠実に描くことではなく、分析とトレンド予測に使用することを目的としている。私の取引手法には、これらチャートが入り込む余地はない。それは私のテクニックに予測が不要であるためというだけでなく、なくても十分に有効なトレード戦術であるのに、あえてこれらを加えて複雑にすることが望ましくないからだ。もちろん、これらの手法の有効性に疑問があったので、

図6.10　ポイント・アンド・フィギュア・チャートの例。過去は明確に説明できるようだが、将来についてはさほどでもない。私が開発した手法では使用していないが、あくまで一般教養としてお勧めする

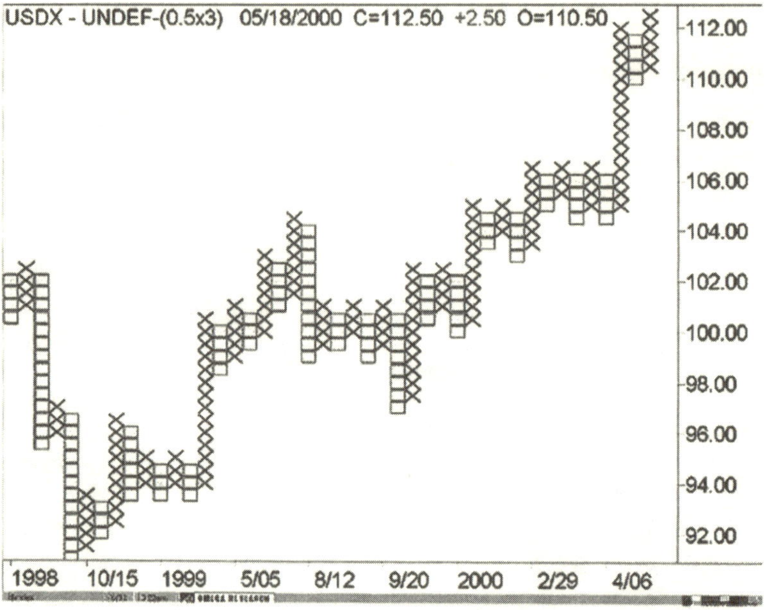

ローソク足にまつわる日本語の用語や名称を覚える気がしなかったという理由もある。だが、教養のためとプロたちの話が理解できるように、私の生徒たちには両方のチャートとその使用法を理解しておくよう勧めている（**図6.10**と**図6.11**を参照）。

トレーダーが使用できるツール、取引手法、理論を調査・分析した結果、それらの一部（特に予測を必要とせず、正確な相場の記述を提供するもの）は、私が開発した手法に組み入れることはできるが、それだけですべての問題を解決することはできない、というのが私の結論だ。いずれにしても、私の要件を満たす手法の開発に使えるような

図6.11　日本のローソク足チャートの例。最古の相場分析テクニックであり、現在でも広く使用されている。完全に占いツールであり、豊かな想像力とある程度の日本語の知識を必要とする。私が開発した取引手法に従っていれば、あえて使用する価値はない。日本のローソク足チャートも一般教養としてのみお勧めだ

信頼性の高いツールと理論の組み合わせを見つけることはできなかった。マーケットにおける実践のなかで、文献にも書かれていない、知り合いのトレーダーがだれも利用してもない、規則的な動きが相場に繰り返し現れていることに気がついた。その規則性はすべて同様な展開で発生しており、特定の相場シーケンスに統計的な規則性が明確に現れている。これを定義・定式化して、私が開発する手法に組み入れれば、成功をもたらす理想的な取引手法に近づけると考えた。

Part 3

イグロックメソッド

The Igrok Method

「裁量的システマティック・イグロックメソッド」（私自身は「コモンセンス・トレードテクニック」と呼ぶことも多い）の基本原理を簡単にまとめると次のようになる。為替投機で成功するには、相場のありのままのパターンと統計処理したパターンに基づくトレードテクニックをマスターし、予測や予想の必要なしに、相場変動をうまくフォローできなければならない。相場のあるがままの特徴と規則性に基づくトレードシステムが最適な解決策になる。

そのため、相場のあるがままの特徴を把握し、相場が特定の時点に任意の方向へ動く確率を純粋に統計的に推定する手法を使用することで、トレードで一貫して成功していくことができると確信している。その確率はチャートに標準テンプレートを当てはめることによって推定する。テンプレートが相場状況と一致したら、相場に入る決断をする。すべてのケースにおいて、統計的に収支がプラスになると見込まれる、相場が動く確率が高い方向でポジションを建てる。以下の章では、どんな特徴と規則性が相場のあるがままの動きであるとみなすことができるかを説明する。

第7章 イグロックメソッドの発想の原点

Philosophy of the Igrok Method

テクニカル分析の発想は、以下の３つの仮説を前提としているといわれている。

1．相場はあらゆることを織り込んでいる
2．相場はトレンドを形成する
3．歴史は繰り返す

私もこれらの仮定を共有してはいるが、私が開発した「コモンセンス」（一般的なレベルの知識）に基づく取引手法の基礎となった私自身の発想の原点を紹介しよう。テクニカル分析の基本原則と対立するというよりも、補完するものだ。

以下の３つの仮説は、私の手法の発想の原点であり、テクニカル分析の基本原則を補完するものだ。

1．相場が動く方向は２つしかない
2．相場は常に動いている
3．相場は日々取引レンジを形成する

相場が動く方向は２つしかない

この単純明解な現象を完全に理解しているトレーダーはほとんどいない。どういうわけか、横ばいの動きを３つ目の方向のように考えているトレーダーがたくさんいる。詳しく調べてみると、横ばいの動きは上下の振動が存在する場合にだけ現れている。妙なことに、大多数のトレーダーはその単純な現象を利用して儲けることができていない。よく考えてみれば、この仮説からだけでも、それなりのトレード戦略を導き出すことができるはずだ。

１つ目の仮説から推論することは、相場変動から利益を得るためにきわめて重要だ。一般的なレベルの知識と初歩的な論理を用いていくつかの推論を定式化し、実用性という観点から分析してみよう。

相場の動きには２つの方向しかないという事実を私はきわめて重要だと考えている。なぜなら、トレーダーが相場で資金を減らす選択肢がそれだけ制限されるからだ。トレーダーはいかなる時点においても、少なくとも50％の確率で正しい方向で新規ポジションを建てることができる。

ここで少し回り道をして、この同じ事実に関してまったく正反対の見方をする人たちに対する私の見解を説明しておこう。トレーダーにとってこの50％という確率はポジティブに受け取れるのに、同じ50％の確率で相場がいずれかの方向にも動くことをネガティブな要素と感じてしまうのはなぜだろうか？　この一見矛盾した現象の原因はきわめて単純だ。私たちは相場の動きを「主」、トレーダーの反応を「従」ととらえている。なぜなら、判断を下し、ポジションを建てる場合、トレーダーは相場の変化に対応しているにすぎないからだ。

だから、トレーダーの活動が相場の変動を引き起こすという思い込みを捨て、相場が私たちの知らない、気がついていない要因によって自律的に変化するものだと考えることをお勧めする。そう考え、この条件に対して調整できたトレーダーだけが、その環境で生き残ることができるからだ。相場を自分の思いどおりにしようとするのではなく、相場のいくつかの特徴から利益を得る方法を探求すべきだ。その特徴の１つが「相場が動く方向は２つしかない」ということだ。

この仮説を出発点として受け入れたら、大事なことがひとつある。為替に限らずどんな市場での投機取引でも最終的にプラスにするには、全取引結果の勝率が50％を超えていなければならないことを知ることだ（ここでは、すべての勝ちトレードの平均利益がすべての負けトレードの平均損失を上回っていると仮定している）。実際問題として、全体としてプラスにするには、すべての新規ポジションの勝率が50％を超えていなければならないといえる。統計的にプラスの結果を出すには、いかなる時点においても、客観的な確率計算を適切に評価する手法が必要だ。そのような確率評価システムの開発には、（私の手法の基礎となっている）次の仮説がきわめて重要だ。

相場は常に動いている

この仮説は、相場がある方向へ動いていなれば、その反対の方向に動いていることを意味する。つまり、相場に動きがない状態になることは実際上あり得ない。どちらの方向で仕掛けたポジションでも、結果がいつまでも出ないということはないということだ。数分間もしくは数時間で、相応の利益か相応の損失が生じることになる。

ここ（そしてこれ以降）でいうところの「相応」の利益とは、各トレードの資金（または証拠金）の25％以上の利益を意味する。証拠金率が２％だとすると、最低取引単位の10万ドルに対する証拠金は500ドルになる。

金融市場におけるトレンドの特徴から、トレンドの変動幅は大きいことが常態であり、狭い幅での横ばい状態が続くことはかなりまれだ。

図7.1　EUR/USDチャート上で無作為に選ばれた70ピップスのレンジが2つ。見て分かるように、両レンジの上方ラインで建てられたすべてのロングポジションと下方ラインで建てられたすべてのショートポジションが遅かれ早かれ利益を出している。ポジションを建てるか否かをコイン投げで決めたとしてもこうなる。何回か損失や反転があっても、少なくともトントンに収まることが保証されている。主要通貨ペアのチャートを任意に選び、自分で試してみてほしい

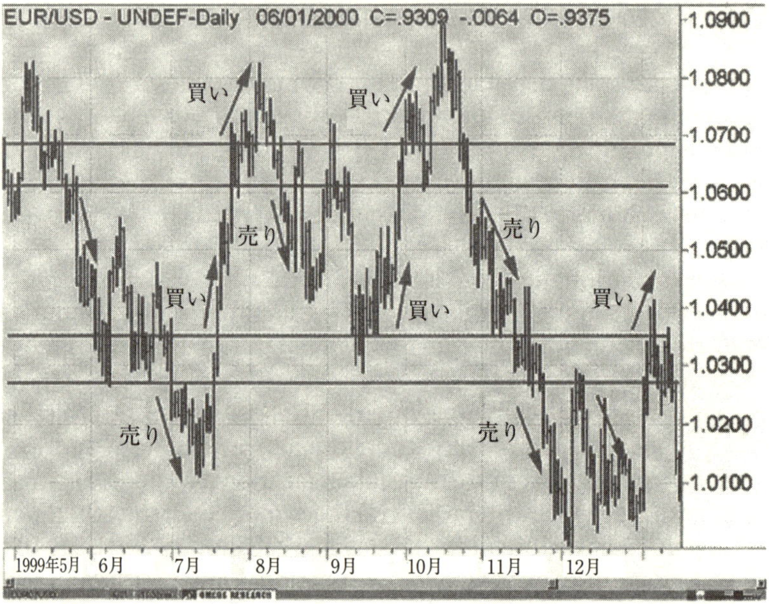

どんなポジションでも、数日間で証拠金の何倍にもなる利益や損失が生じることになる。まず、50〜70ピップスか100ピップス離れた２本の平行線を、主要通貨（ほぼ理想的な流動性と高い活況度を有している）の過去のレートを示すチャート上の無作為に選んだ場所に描いてみる。それから、相場がそのラインを上抜けするたびにロングポジションを建て、相場がそのラインを下抜けするたびにショートポジションを建てると想像する。つまり、未決済のロングポジションは常に上方ラインよりも上で、未決済のショートポジションは常に下方ライン

よりも下にある。それでどうなるか見てみよう。この簡単な実験によって、最初に仕掛けたポジションに関係なく、このやり方でかなりの利益がすぐに得られることが分かる。損切りし、ドテンするというシナリオでも、その新規のポジションは遅かれ早かれ同等の利益を生み出すか、もしくは少なくともその後の利益によって最初の損失が埋め合わされる。その場合、チャート上に描かれた水平線を上下に何度も交差する値動きによって、最初の損失やそれ以降の一連の損失が埋め合わされることになる。これは、ゾーンを任意に選択し、過去において見られた――たとえすべての主要通貨ペアの取引史上最も長いものでも――水平トレンドの真ん真ん中において選んだとしてもそうなる（**図7.1**を参照）。

このシンプルな実験・調査に基づく論理的な結論はこうだ。無作為に選ばれた任意の価格で仕掛けられたどんな無作為なポジションでも、直ちに大きな利益を生むか、そうでなくても、簡単な自動売買を何回か繰り返せば損益ゼロの状態になる、ということだ。

上記の説明では、ターンオーバーが多すぎて取引口座が空になってしまう可能性を考慮せず、状況を単純化している。その可能性を追求することをお勧めしているわけではなく、相場が常に動き続けるという仮説の理論的な例証として参考にすることだけをお勧めする。この仮説の利用方法については本書の以降の章で説明する。

次に、私の手法の最後の３つ目の仮説について説明する。

相場は日々取引レンジを形成する

３つ目の仮説は、前の２つの仮説と同様、論理的であり、相場をあるがままに示す、トレーダーにとってきわめて重要なものだ。相場は１取引日（つまり24時間）中に特定のレンジを形成する、という仮説だ。そのレンジは、たとえ短期間でも、過去の通貨レートの動きを分析すれば簡単に推定することができる。つまり、どの通貨ペアにも、一定の値幅で変動するという、いわば「１日のノルマ」が存在する。最小変動幅や平均変動幅は通貨ペアによってそれぞれ異なる。変動幅は周期的に変化する傾向があり、それまでとは異なるレンジを作ることもある。とはいえ、１日の変動幅の中央値は比較的安定している。最小変動幅や平均変動幅の計算には、月単位の周期を基礎にするのが最も適切だ。この計算を事前に行うことによって、当日の値幅をおおむね予測することができる。

３つの仮説の実践的な利用方法については、本書の以降のパートと各章で説明する。

取引手法の原点となる発想さえまとめてしまえば、投機取引の基本的な戦略と戦術を策定することは私にとってたやすいことだった。それには６つのステップがある。

1. イグロックメソッドでは、為替レートの変動のファンダメンタル的要因について否定しているわけではないが、実際問題として考慮に入れていない。なぜなら、レートの変動に基づき投機利益を得るというトレーダーのただひとつのゴールに直接的な影響がないからだ。
2. イグロックメソッドの基礎は、相場そのものが発するトレードシグナルに対するトレーダーの反応にある。インジケーター、オシレーター、その他の人間が作った代用的・人工的な派生物の適用は基本的に限定されている（同メソッドでは２ないし３つのインジケーターが使用されているが、それら自体に意味を持たせているわけではなく、同メソッドの原則に従って基本的なシグナルを確認するためだけに使用されている）。
3. 売買シグナルの識別は、一連の相場行動モデルに基づく。相場の状況がいずれかのテンプレートと一致した場合にトレードを行う。

4．テンプレートには、トレーダーが特定の順序で取るべき標準的なアクションのバリエーションが記載されている。
5．イグロックメソッドで使用されるすべてのテンプレートは、相場がそれぞれの方向へ動く推定確率に基づいている。各テンプレートの推定確率は、テクニカル分析のいくつかのルールとマネーマネジメントの要素を組み合わせて定められる。
6．相場状況が同じでも、異なるテンプレートを使用することができることもある。その場合、最終的な選択は、相応の利益を得るためにどれだけのリスクをとるかという個人の意思に依存する。

適切な時点に相場の適切なサイドにいること、それがトレーダーの仕事であることはいうまでもない。基本的には、それがトレーダーの唯一の関心事でなければならない。

イグロックメソッドは将来の相場変動に関する確率的評価――前述した事前に設定・検証された一連のテンプレート――に基づいている。相場状況がいずれかのテンプレートと一致しないかぎりトレードは行わない。実際の相場状況がいずれかのテンプレートと一致したら、仕掛け・仕切りの判断はほぼ自動的に行われることになる。テクニカル分析から得られるいくつかの要素に加えて、マネーマネジメントに関するいくつかの要素も含まれている。マネーマネジメントはトレード戦略の重要な一部であり、シグナルがダマシであったり、相場が反転した場合の保険の役割を果たす。

テンプレートは、テクニカル分析を基礎に発せられるトレードシグナル、一般的な統計的手法による確率の推定、それにマネーマネジメントの要素を加えて作成されている。

第8章

テクニカル分析を利用して確率を評価する

Evaluating Probabilities Using Technical Analysis

確率の評価テクニックは相場の一般的な法則に基づいており、テクニカル分析のルールに従って行われる。

いかなる時点においても、相場が上昇する確率と下降する確率が等しくなることはない。また、いかなるポジションでも、損失に終わる確率と利益になる確率が等しくなることもない。その確率は、時間帯、それまでの変動の経緯と大きさ、長期トレンドと短期トレンドの方向、テクニカル状況、相場の動きの速さなど、多くの要素に依存する。これらの要素のさまざまな組み合わせを、相場行動の標準モデルを構築する基礎として識別し、分類し、活用することができる。

それだけの予備調査をしてしまえば、具体的なトレード戦術を練ることはさほど難しいことではないはずだ。法則を認識・識別することができるなら、客観的に確率を評価することができるので、将来の相場行動に関して自分自身の意見を持つ必要がなくなる。その結果、損失よりも利益をもたらす確率のほうがかなり高いポジションを建てられるようになるはずだ。

相場が次に動く方向の確率をとりあえず大まかに推定するためには、主としてテクニカル分析を使用する。ただし、重要度が低いものや精度が十分でないと私が考えるものは排除する。具体的には、MACDとRSIだけだ。それら以外のインジケーターは一切使用しない。

※MACDについてはジェラルド・アペル著『アペル流テクニカル売買のコツ』、RSIについてはJ・ウエルズ・ワイルダー・ジュニア著『ワイルダーのテクニカル分析入門』（ともにパンローリング刊）参照

図8.1　USD/CHF日足チャート。RSIにおける弱気のダイバージェンスの例

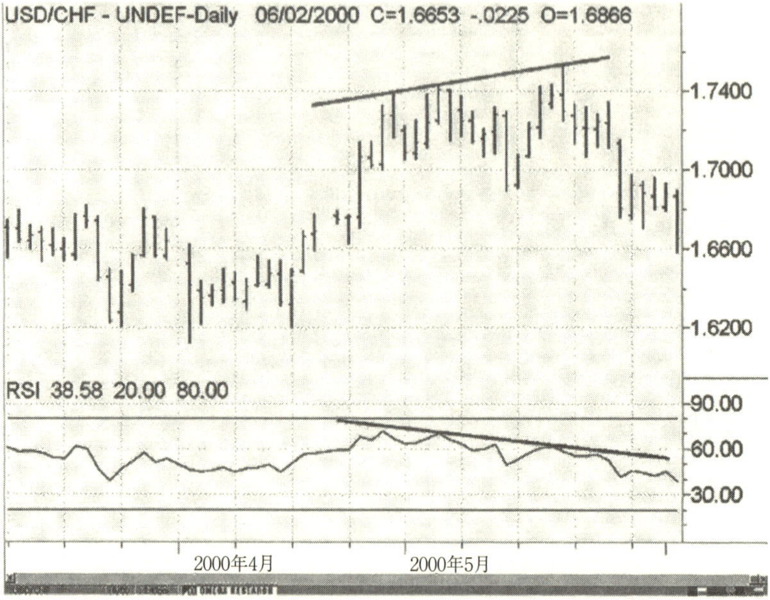

MACDとRSIも、日足、週足、月足チャート上でダイバージェンスを識別するためだけに使用する（**図8.1**から**図8.4**を参照）。

テクニカル分析に加えて、相場行動の長期的な観察とその一般法則の研究に基づいた簡単な統計分析も使用する。多くの法則はコモンセンスの視点からも十分に説明できる。

このような予備的な確率評価を行うことによって、仕掛けと仕切りで犯しがちな過ちを避けることができる。基準は以下のとおりだ。

●相場が現行の方向で現行の動きを続ける確率は、相場がすぐに反対方向へ転換する確率よりも高い

図8.2　これも弱気のダイバージェンスの例だが、USDX週足チャートのMACDだ。ご覧のように、メジャートレンドが上向きであるにもかかわらず、明確に下を向いている

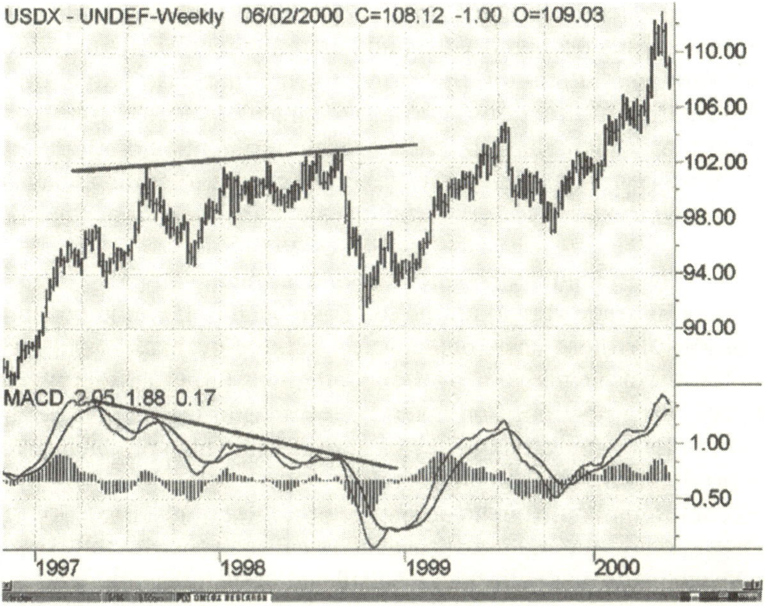

相場には高いレベルのモメンタムが存在するため、現行の方向で仕掛けるほうが統計上優位だと論理的に結論づけることができる。ところが、テクニカル分析の基本的な仮説のひとつ「相場はトレンドを形成する」に直結しているにもかかわらず、多くのトレーダーはトレンドに沿うよりも、相場が方向転換する瞬間をとらえる機会を探るほうを好んでいる。私自身の観察では、トレードを始めたばかりの新人の多くはこの法則を直感的に感じ取り、現行の相場の方向でほとんどのポジションを建てている。現実として、理論的な知識や実際の経験が乏しい初心者ほどそのような傾向が見られる。相場行動の将来の変化

図8.3　これもトレンドに逆らっている弱気のダイバージェンスの例。ただし調整幅は小さく、直近の目先底には到達していない

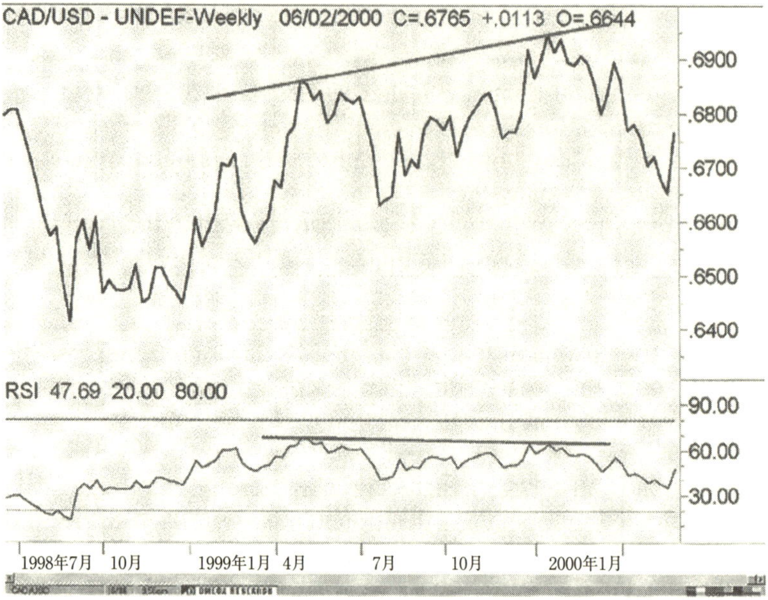

を予測できるとは思っていないので、予測に頼らず、画面上に見えるものに基づきトレードをする。

FX市場はボラティリティがきわめて高く、そのような戦術が功を奏することが多いため、始めたばかりのトレーダーが勝っていることが多い。バーチャルトレードはもちろん、実際のトレードでも大多数のビギナーが最初のうちは勝つことが多いのはそのためだ。残念ながら「相場に沿う」という能力はすぐに失われる。主に書籍から得た知識に基づく「分析」に取って代わられるようになる。相場に素直についていくのではなく、将来の動きを予測し、先を見越して行動しようとし始める。その時点から、ほとんどの新規ポジションが分析と予測

図8.4　これはきわめて重要かつ興味深いチャートだ。USD/DEM月足チャートに強気のトリプルダイバージェンスが現れ、MACDが1984年を頂点とする何年にもわたる下方トレンドからの大反転を示唆するきわめて強いシグナルを発している。このダイバージェンスはすべての欧州通貨に対するUSDの大上昇トレンドへの最終ターンを指し示しているものと思われる

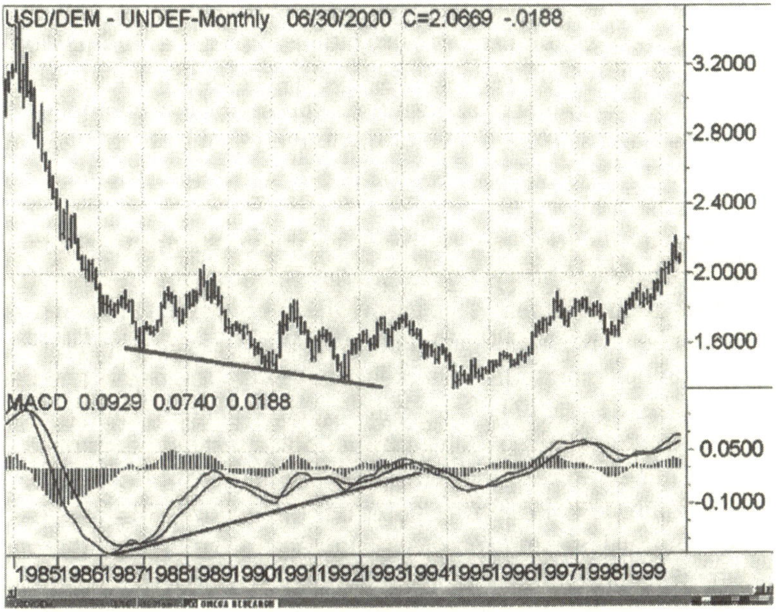

に基づくようになり、目先の相場に逆らうようになることが多くなる。戦略の重点が天井や底をとらえることに移行したときから、このビジネスで生き残れるチャンスは急激に低下する。

私の考えでは、「弱気で売り、強気で買う」というやり方は、もうひとつの有名な「安値で買い、高値で売る」というやり方と比べて明らかに優位だ。後者のやり方は、できるだけ短い期間にそこそこの利益を得ることを基本的な目的としている短期投機トレーダーよりも、長期トレーダーや投資家に向いている。実際のトレード状況、とりわ

図8.5　これは私が述べてきたことのきわめて格好の実例だ。当日の終値はレンジのほぼ安値で引けながら、一方向へのボラティリティの高い強い動きが翌日まで続いている。3日目は、ボラティリティは高かったにもかかわらず、安値よりも高値に近い水準で引けている。そのため、これ以降その動きが続くことはなかった

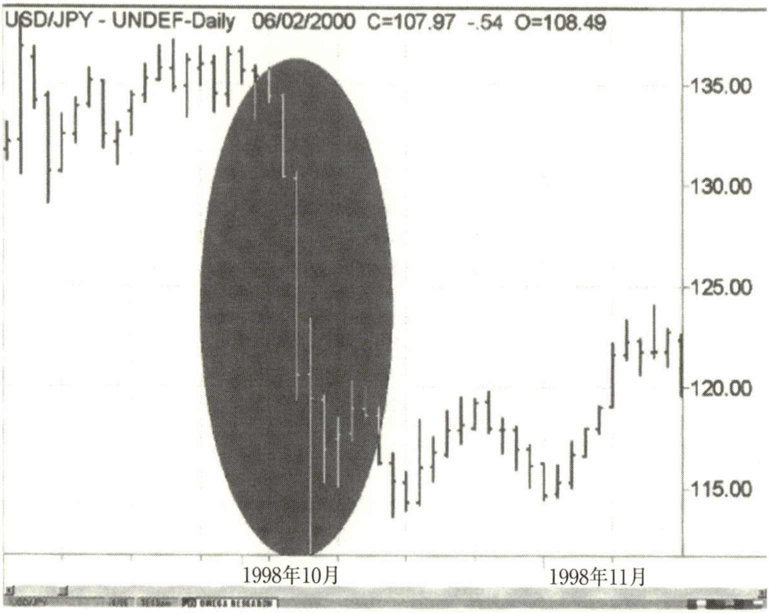

けデイトレードでは、相場の動きをとらえ、その動きの方向で仕掛けて素早く利益を稼ぐほうが簡単だ。相場が転換するポイントとまでいかなくとも、そのだいたいのゾーンでさえ、転換を見極めることはきわめて難しい。そのため、すでに始まっている動きの方向で仕掛けるトレード戦術は、相場のエクストリーム水準（天井または底）をとらえることに重点を置く戦術や、その時点における方向に逆らったポジションを建てる戦術よりも望ましいと考えられる。

●当日、相場が一定の方向を中心に動いている場合、翌日もその同じ

図8.6　このチャートは図8.5と同じ局面だが、時間枠が長い

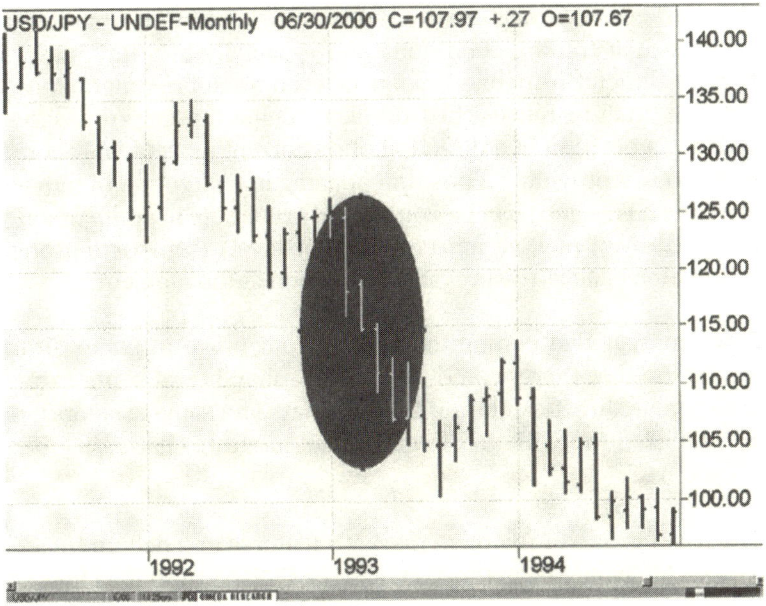

方向で続く確率が高い。この仮定は週足と月足チャートの分析にも適用できる（図8.5と図8.6を参照）

トレンドは相場の主要な特徴のひとつであり、頻繁に現れる。トレンドは珍しいものではなく、FX市場の特産品だ。チャートを見れば、特定の動きが始まった日、週、または月を比較的簡単に識別することができる。この期間の特徴は、一定の方向へのトレンドと各バーの始値と終値の幅にある（図8.7を参照）。

１日と１週間の終わりに、日足と週足チャートの簡単な統計的分析を行いながら、その日やその週の終値に注目する。終値が前のバーの高値近くなら、次のバーの高値がさらに高くなる確率が高い（図8.8

図8.7　EUR/USD週足チャート上で、始値と終値との幅が大きいバーが連続して現れており、下降トレンドが加速していることが分かる

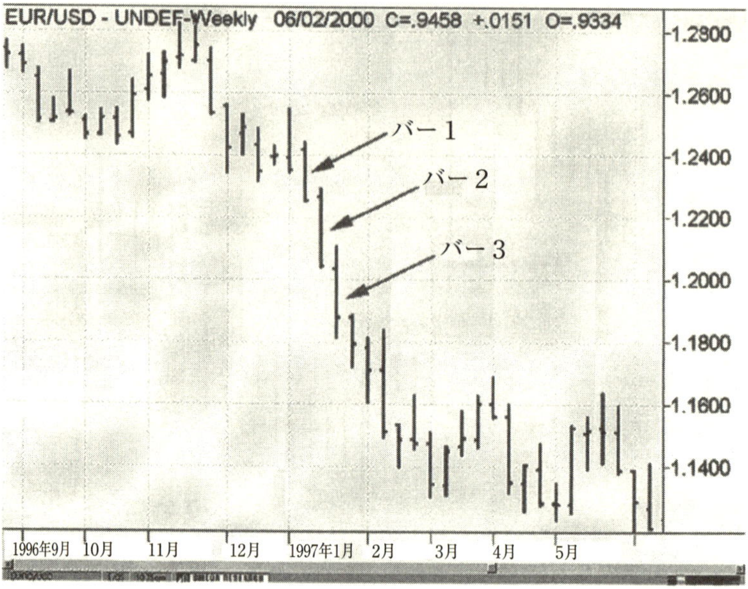

を参照）。

終値がバーのほぼ安値であれば、次のバーの安値がさらに安くなる可能性が高い（**図8.9**を参照）。為替レートの日足と週足チャート上にギャップが現れることはきわめてまれであるため、始値がそのバーの高値や安値と一致することはまずない。

例えば、高値に近い水準で引けた場合、翌日に再び前日の高値を上回って上昇する確率は、下落する確率よりもはるかに高い。つまり、１日の相場は始値の両方向で取引されるのが普通だが、当日の主な方向はほとんどの場合、前日と同じだ。

また、トレンドが存在する場合、終値が始値よりも安い（または高

図8.8　典型的な上昇トレンドの例。平均レンジを超える週足の上端近くで引けていることは、統計上、同じ方向への動きが続くことを示唆している

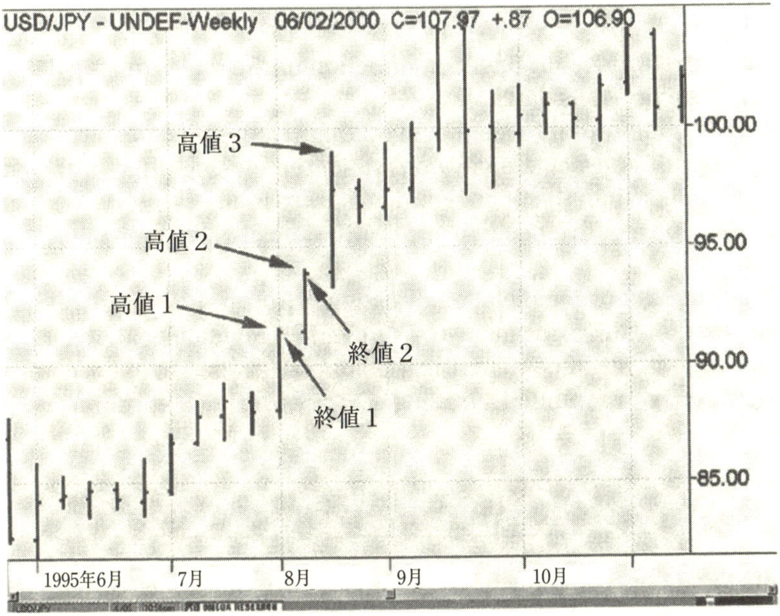

い）日が連続するのは平均で4日間であることを覚えておくことが重要だ。私の記憶では、連続して下げて（上げて）引けた最長連続日数は9日間だった。

●テクニカル分析の目的は、多くのトレーダーが考えているように、相場がいつどこに行くかを予測することではない。分析の主要目的は重要なポイントや水準を事前に見極めることにある。その結果を利用して次のトレードの戦略を練ることができる

図8.9　下降トレンドや急激で深い調整の場合、平均レンジを超える週足の安値近くで引けていることは、同じ方向への動きが続くことを示唆している

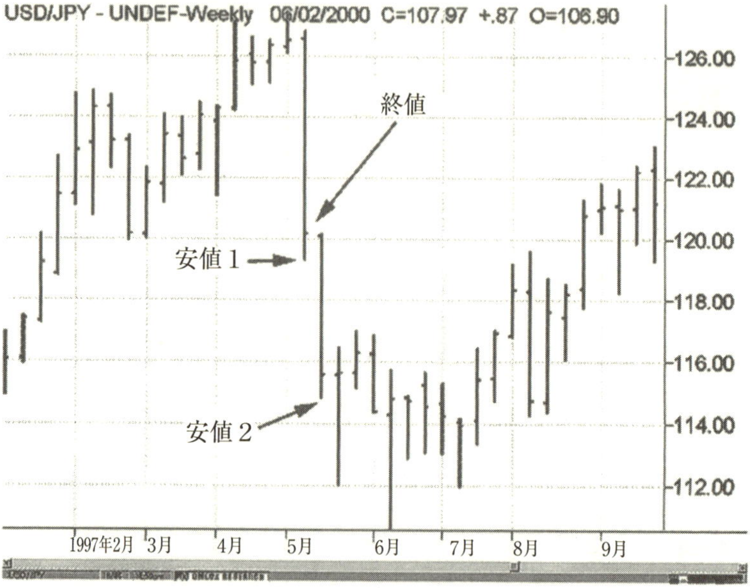

１日と１週間の終わりに分析

私は取引手法を開発・改善するために、相場分析を定期的に実施するという手順を設けた。実際に売買を行う前には必ず分析を行っている。この手順に従って、毎日の終わりに相場に関する予備的な分析を行う。キーとなるポイント、クリティカルなゾーン、サポートとレジスタンスなどの見極めから始まり、翌日の相場の方向に関する予備的かつ大まかな確率評価も含まれる。１週間の終わりには、翌１週間に関してこのような分析を行う。この章では、このテーマに多くの部分

を割いている。毎日の分析で行う必要がある手順は数としてはかなり多いが、実際にかかる時間は15分から20分を超えることはないだろう。

週足チャート分析

週足チャートの予備的な分析は週の終わりに実施され、毎日の終わりに更新されることになる。

（短期トレード専門だからということは関係ない。大半のポジションを仕掛けた日のうちに手仕舞いしているデイトレーダーでも、長期的な相場分析は行うべきだ。デイトレードで正しい判断をするためには、大局をとらえ、キーとなる水準と長期トレンドを見極めることも必要だ。実際問題として、FX市場の参加者を短期・中期・長期のトレーダーに分けることに、私は少々違和感を感じている。例えば、現行のトレンドが続くと信じるだけの強い理由が存在すれば、ポジションを長期間保持することを私はいとわない。当初の計画を修正し、時間枠を変更することで、デイトレードをポジショントレードへと転換するのに必要な調整を行うことができる）。

この分析の目的は現行の中期から長期のトレンドを定義し、チャート上でクリティカルなポイント、ゾーン、レベルを特定することだ。それらのレベルは、その週の終値に比較的近く、翌週のレンジとして考えられる範囲内になる。すべてのテクニカルフォーメーションとパターンを見極め、考慮に入れることも必要だ。トレンドラインを描き、メジャード・オブジェクティブ・ターゲット（該当する場合）を推定しなければならない。各種ラインを書き込んだチャートをパソコンに保存し、毎日更新しなければならない。

（中期・長期分析用にオメガ［Omega］のスーパーチャート［SuperCharts〈End-of-Day版〉］を使用しているが、私が知っているなかで最高のソフトウエアだ。このソフトウエアでは、ラインを描いたり、必要に応じて数多くのインジケーターを記した大量のグラフィックウィンドウをメモリに保存することができる)。

毎日、相場に応じて新しい日足を記入し、前の週に週足チャート上に描いた各種ラインを更新しなければならない。必要に応じて、古いラインを除去し、新しいラインを追加する。例えば、デイトレーダーの場合でも、２～３日の平均取引レンジ内にあるトレンドライン、サポートライン、レジスタンスラインがすべて重要になる。当日の終値の両側300～500ピップス以内にあるクリティカルなポイントをチャート上に追記する必要がある。終値に最も近い水準が最も重要であり、要注目だ。近い将来に相場がその水準を抜ける可能性のあるクリティカルなポイントを正確に計算する必要がある。

最も基本であり、かつ最も単純な作業は、現行の中期トレンドの方向を定義することだ。トレンドがあるかないかはチャートを見れば簡単に分かることが多いので、この作業には苦労しないと思う。だから、バーチャートと終値折れ線チャートの両方に関して分析を行うということだけを強調しておきたい。

●すでに形成されているテクニカルフォーメーション（ヘッド・アンド・ショルダーズ、ダブル／トリプル・トップ／ボトム、トライアングル、ウエッジ、フラッグ、チャネルなど）を探すことから始める。探す順番は以下のとおりだ。

A．フォーメーションが完成していて、トレンドやネックライン（クリティカルライン）がすでにブレイクされている

B．フォーメーションは完成しているが、クリティカルレベルはまだブレイクされていない

C．完成に近づいているフォーメーション

D．形成を開始したばかりのフォーメーション

（Dの場合、将来を予測をすることになる。これはきわめて複雑

図8.10　これは極めて珍しい、これぞテクニカルという図だ。教科書に載っているような形と動きを備えた完璧な逆ヘッド・アンド・ショルダーズが形成されている。必要な要素がすべてが整っている。ネックラインを上抜けし、大きく続伸したあと、完璧な調整が入り、そのネックラインの下へのブレイクを試している。それから上昇に転じてメジャード・オブジェクティブ・ターゲットに到達している

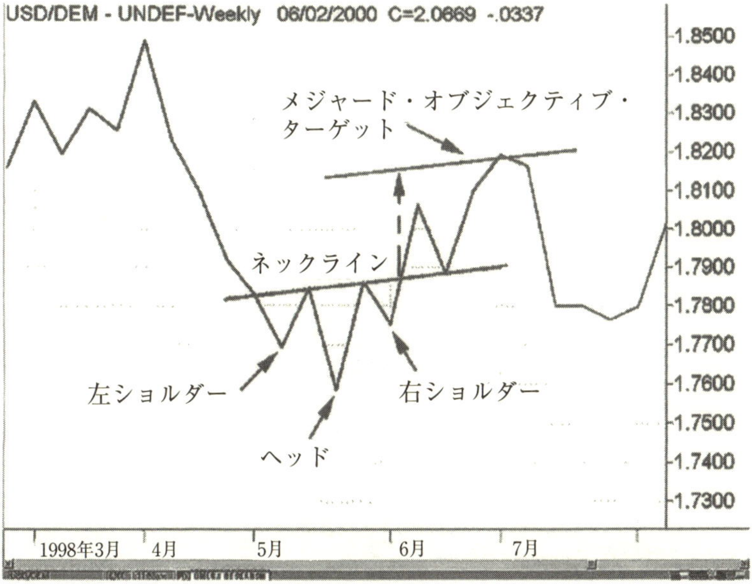

な作業であり、ある程度の実務経験と想像力を要する）。テクニカルフォーメーションを識別したら、そのパターンを形成しているすべての必要なラインを描いて保存する。そのフォーメーションで定義可能な場合、想定されるメジャード・オブジェクティブ・ターゲットも含める（**図8.10**を参照）。

●トレンドラインと水平のサポートとレジスタンスを描くことが次の

図8.11　ダマシのブレイクが数多く続くとトレンドはもはや意味を失い――（この場合のように）トレンドがその後続いたとしても――トレードシグナルとして使用することはできない

ステップだ。２本のトレンドラインに囲まれた水平チャネルや傾斜チャネルを識別し、チャート上に当てはめてみることもきわめて重要だ。このようなラインは特定の厳密なルールに従ってのみ描くべきだ。幾何学の法則によれば、同一平面上の任意の２点は直線で結ぶことができる。だから、何らかのテクニカルフォーメーションのネックラインでもないかぎり、トレンドラインは分析するチャート上の最低３つの重要なポイントを通過して描かれた場合にしか意味を持たない。

●トレンドラインは３つの連続した高値、または３つの連続した安値、

図8.12　このチャートにあるようなトレンドラインのブレイクではショートポジションを建てるべきだ

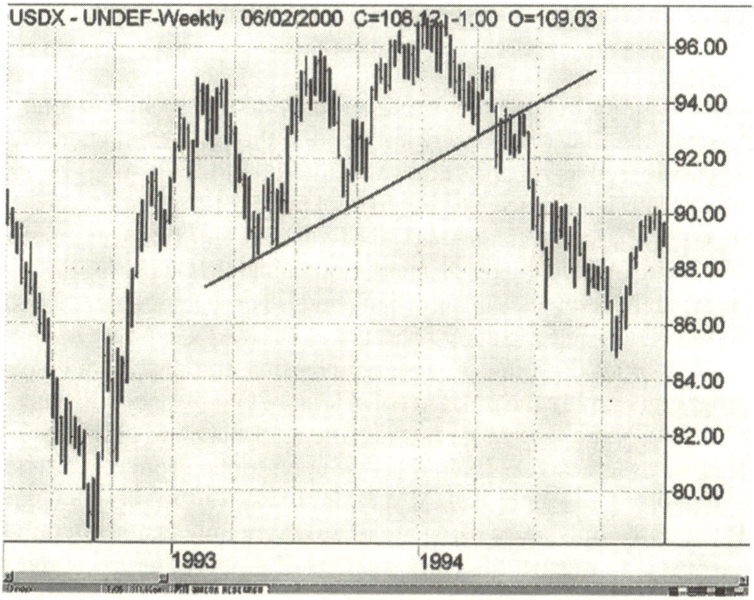

または日足や週足の高値と安値を通して描かなければならない。できればバーとトレンドラインが交差しないことが望ましい。やたらに無意味な交差があるラインは信頼性が低い。交差せず、一方だけが触れている、完璧なトレンドラインをチャート上に描かなければならない。過去にたとえ一度でもこの条件に違反しているトレンドラインは信頼できるとはいえないため、それに基づきトレードプランを練る場合は十分に慎重にすべきだ（**図8.11**と**図8.12**を参照）。

● 3つ目のステップはフィボナッチラインを描くことだ。OHLC（始値、高値、安値、終値）バーチャートと終値折れ線チャートという2種類のチャート上に描く。これらのラインをチャート上に保存し、

図8.13　USD/CHF日足チャートに描かれたフィボナッチリトレースメントライン

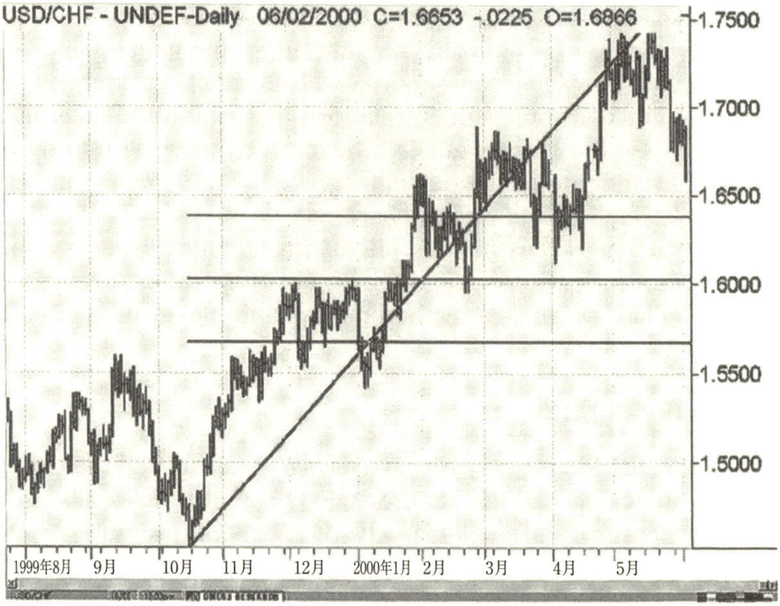

相場の変化に応じて定期的に更新しておく必要がある。幸いなことに、昨今のチャート分析プログラムではこの作業がかなり簡単にできるようになっている（**図8.13**と**図8.14**を参照）。

●週足チャートの分析は、いくつかのインジケーターをチェックすることで終わる。私の取引手法では、この種のツールの使用はきわめて限定されている。さまざまなインジケーターのなかから私が使うのは基本的にRSIとMACDだけだが、きわめてまれにスローストキャスティックスも使う。これら3つのインジケーターは私にとってはあくまで補助的なものであり、2つの目的にだけに使用する。相場が方向転換するという早期警告を受け取ること、そして値動きと

図8.14　終値折れ線チャートに描かれたフィボナッチリトレースメントライン

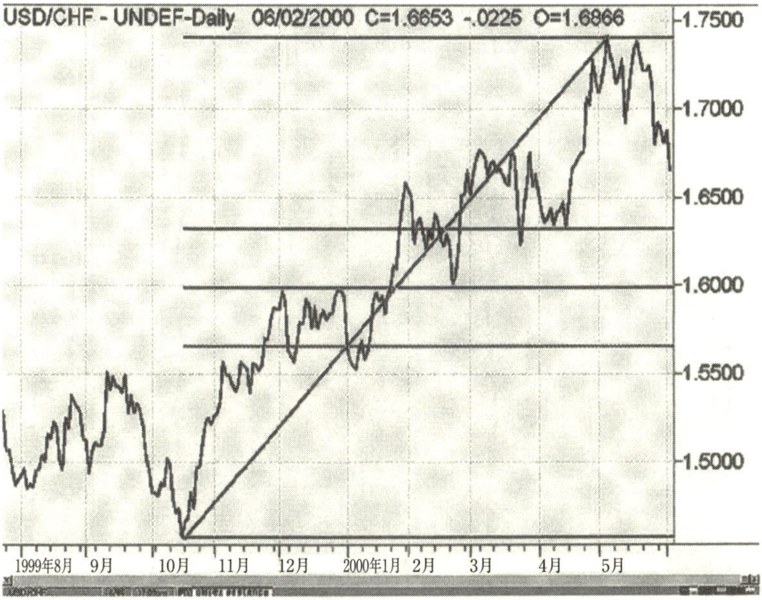

インジケーターとのダイバージェンスシグナルを受け取ること、つまりトレンドの変化を確認するためだ。

日足チャートの分析は週足チャートの分析と似ている。基本的な違いは、時間枠が短いことから、クリティカルなレベルとゾーンをより正確に定義して、トレードプランに使うことができることだ。さらに、時間枠の長いチャートでは識別できないフォーメーションを、短い時間枠のチャートでは見ることができることがある。それらの事項に加えて、日足と週足チャート上でギャップを探すことが必要だ。

FX市場にはテクニカルトレーダーが大勢いるため、仕掛けや相場予測の有効なシグナルとしてフォーメーションに頼ると裏切られるこ

図8.15　USDX日足チャート上の埋められていないギャップ

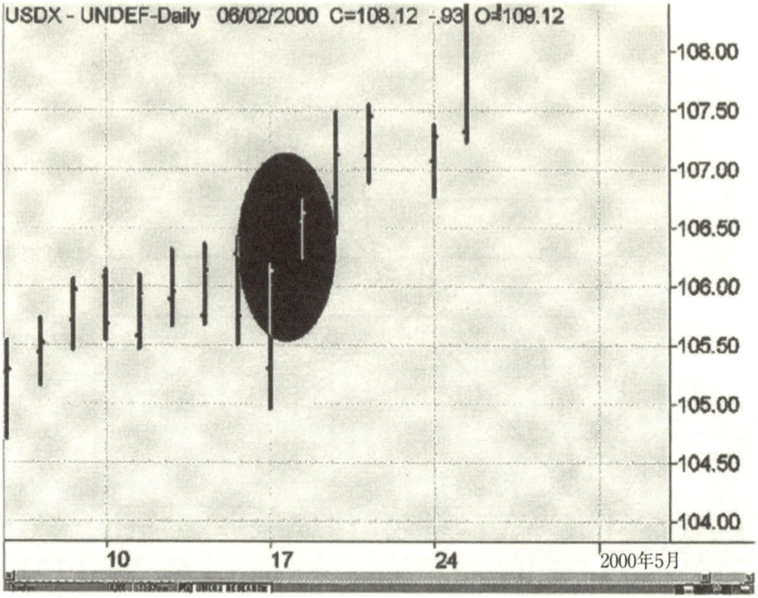

とが多い。

日足チャート上のギャップ

FX市場は（ほかの金融市場と異なり）週５日24時間開いているため、先物や株式市場で典型的に見られるようなギャップを目にすることはない。一般に知られているように、ギャップとはチャート上の２つの連続したバーの間のブレイクであり、前のバーの安値がその次のバーの高値よりも上にあるか、前のバーの高値がその次のバーの安値よりも下にある状態をいう。古典的な意味でのこのようなギャップは為替のスポット市場ではきわめてまれだ。とはいえ、為替レートチャート

図8.16　USD/DEM日足チャート上のクシ

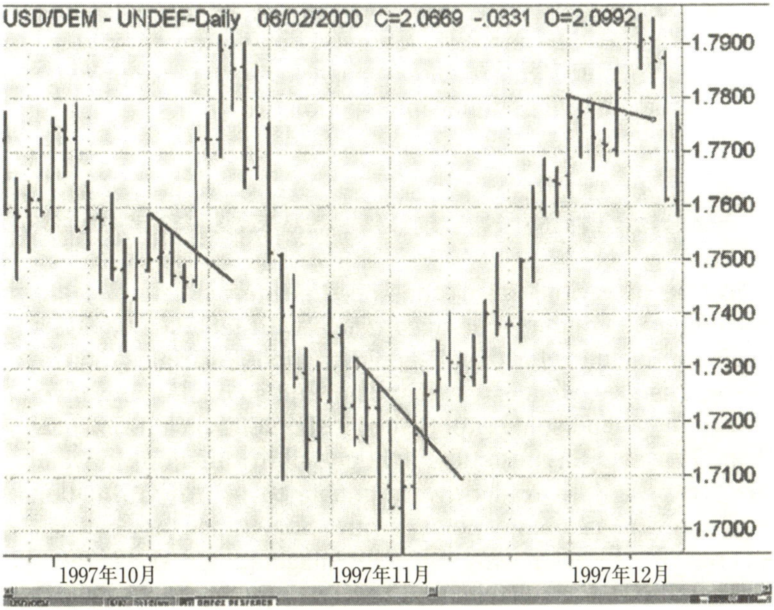

上にもブレイクは存在する。ただし、テクニカル分析の本に出てくるようなものとは多少異なっている。

為替相場におけるギャップ（もしくは私がギャップと定義するフォーメーション）は金曜日から翌週月曜日にかけて形成されることが多く、週の真ん中で形成されることはきわめてまれだ。前日（当日が月曜日なら前週）の終値と翌日（場合によっては翌週全日）の安値や高値との間のブレイクとして現れる。このようなギャップの例は**図8.15**にあるようなフォーメーションで見ることができる。

ほとんどの場合、相場はすぐにギャップの水準まで戻り、チャート上に形成されたそのブレイクを完全に埋める。ギャップの識別はきわめて重要であるが、私はギャップを埋めに戻ることを利用してトレー

図8.17　USD/DEM日足チャート上の中期トレンド。この種のパターンを私は「クシ」と名づけた

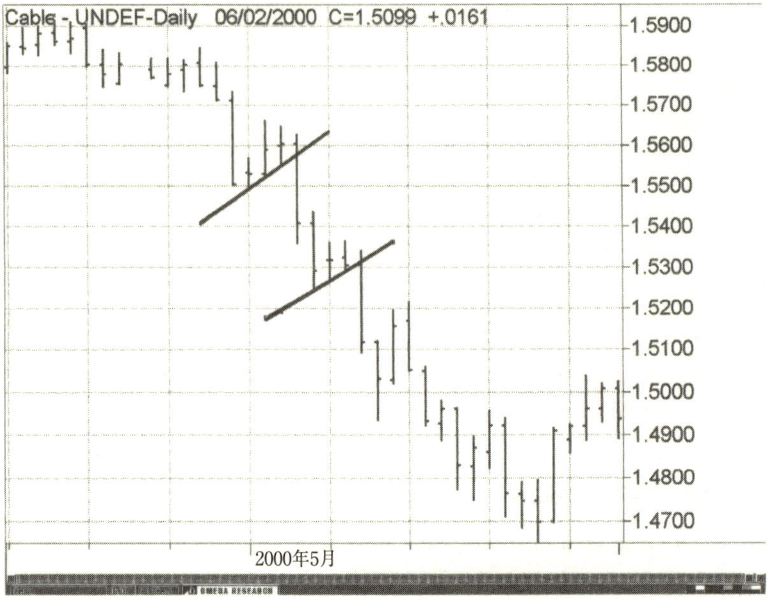

ドすることはしない。だが、しばらく前に形成されたギャップは、ギャップ方向で建ててあるポジションに関しては確認のシグナルを、ギャップと反対方向で建ててあるポジションに関しては警告シグナルを提供してくれる。

日足チャート上のクシ

テクニカル分析では「クシ（櫛）」状のフォーメーションは存在しない。これは私が独自に定義したフォーメーションであり、日足チャート上にときおり現れる（日中足チャートにも現れる）。クシはある

種のトレンドを表す。クシの具体的な特徴は、連続した５本足のなかの任意の３つの高値（または安値）に沿ってトレンドラインを描くことができることだ。このトレンドラインは、安値に沿って描いたときに右上がり、高値に沿って描いたときに右下がりになる場合に意味を持つ。このようなフォーメーションの例を**図8.16**と**図8.17**に示す。クシは私が気に入っているパターンのひとつであり、このトレンドラインの交差は、適切なポジションを建てるのに信頼できるシグナルになる。

日足と週足チャート上のその他のフォーメーション

中期および長期チャート上のさまざまなフォーメーションの識別をテクニカル分析ルールに従って行う必要がある。識別するフォーメーションには、ヘッド・アンド・ショルダーズ、ダブル／トリプル・トップ／ボトム、レクタングル、トライアングル、ウエッジ、フラッグ、ダイアモンドなどが含まれる。基本的な知識とある程度の経験があれば通常は問題なく識別できるはずだ。だが、比較的経験のあるトレーダーが、私にすれば実に明白なフォーメーションを識別できないという状況をたびたび目にしてきた。逆に、十分な想像力と豊富な実務経験を持つ「私」が一生懸命になっても、さらにはほかのトレーダーに助けてもらっても識別できないパターンを識別してしまうトレーダーもいる。

テクニカルパターンとフォーメーションの解釈はトレーダーによってさまざまだ。識別したフォーメーションに基づく相場の解釈もさまざまだ。前述したように、FX市場はテクニカルトレーダーの割合が高いため、フォーメーションが仕掛けや予測を行うための信頼できるシグナルにならないことがよくある。そのため、想定したターゲットを利用したトレードは失敗することが多い。だが、フォーメーションを無視すべきでないことも事実だ。フォーメーションの利用法と安全を確保する方法については、トレードシグナルに関する章で説明する。

第9章

基本的なトレード戦略とテクニック

Basic Trading Strategies and Techniques

イグロックメソッドで使用するトレードシグナルは、古典的なテクニカル分析の本に書かれているサポート・レジスタンスやチャートフォーメーションとあまり変わらない。だが、その種の本では、私がさまざまなインジケーターとともに使用するクロス（交差）やダイバージェンス（乖離）などのシグナルがまったく組み入れられていない。シグナルに関する私自身の解釈は、いわゆる古典的・標準的な解釈とは異なるため、各々について詳しい説明が必要だろう。

上昇・下降トレンドラインに基づくトレード

上昇トレンドラインと下降トレンドラインは、ほぼ確実にトレードプランを構築するための完璧な機会を提供する。トレンドラインが明瞭で、鮮明で、明白であればあるほど、それだけトレードは容易になるはずだ。私が発見した現象に注目することをお勧めする。多くのテクニカル分析の本やアドバイスではなぜか無視されている現象だ。

３つ以上の点を通って正しく描かれたトレンドラインは遅かれ早かれ崩れる。まだ崩れていなければ、そのラインは相場を引き戻すゾーンになる。

その現象については単純明解に説明できる。そのようなラインの背

図9.1　ダマシのトレンドラインのブレイクは現行トレンドの継続の確認になることが多い

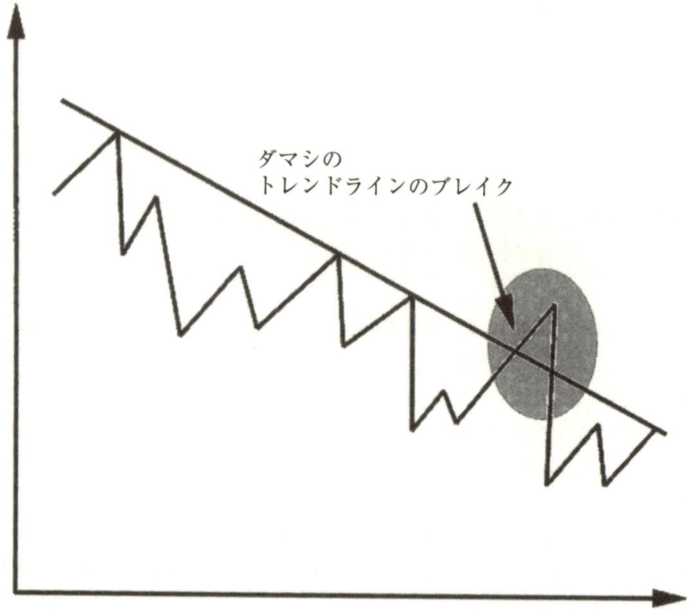

後には、たくさんのストップが徐々に積み上がっており、やがてそれを利用しようと相場が動き始めるからだ。

トレンドラインへの接触点が長期間でわずかしかなく、トレンドラインに沿った大きなリトレースメント（押しや戻り）がまだなければ、ダマシのブレイクが起こる確率は高い（**図9.1**を参照）。

つまり、瞬時の大きな動きに続いてトレンドラインのブレイクが起きた場合、そのブレイクがダマシになる可能性があるという警告になる。それとは逆に、ブレイク直前まで長期間の揉み合い状態であった場合は、ブレイク後に長いフォロースルーもしくはトレンド転換が続く確率が高い。

いずれにしても、トレンドラインが崩れるのが今なのかまだ先なの

図9.2　トレンドラインは相場の「なわばり」とそれ以外のオープンスペースとを分ける境界線のようなものだ。下降トレンドラインの直前でショートポジションを建てる場合注意が必要だ。任意の3つの重要な点を通って描かれたすべてのラインは遅かれ早かれブレイクされるからだ。このようなラインに相場が近づくたびにブレイクの確率は高まる。ブレイクが起きたら、ブレイクポイントの近くでポジションをストップ・アンド・リバースする

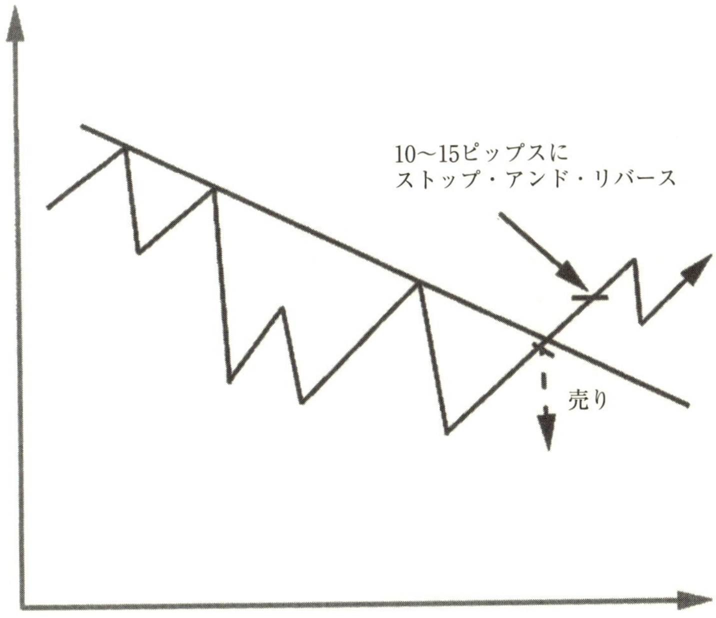

か、あるいはそのブレイクが本物なのかダマシなのかが分からなくても、次にトレンドラインに近づいたときが新規ポジションを建てるチャンスになる。まずは、トレンドラインの手前で仕掛ける。トレンドラインに下から近づいたら売りポジションを建てる。上から近づいたら、それは買いポジションを建てるというシグナルだ。もちろんストップは必須であり、ラインのすぐ後方10～15ピップス以内に置かなければならない。最初のポジションを損切りするストップと、同時に反対方向に新規ポジションを建てる、いわゆる仕掛けのストップを置く

図9.3　これはトレーダーにとってきわめてありがたいシナリオだ。トレンドラインは今回もブレイクされなかったので、当初のトレードプランに従って、ラインの手前で建てたショートポジションを清算し、利益を確定する

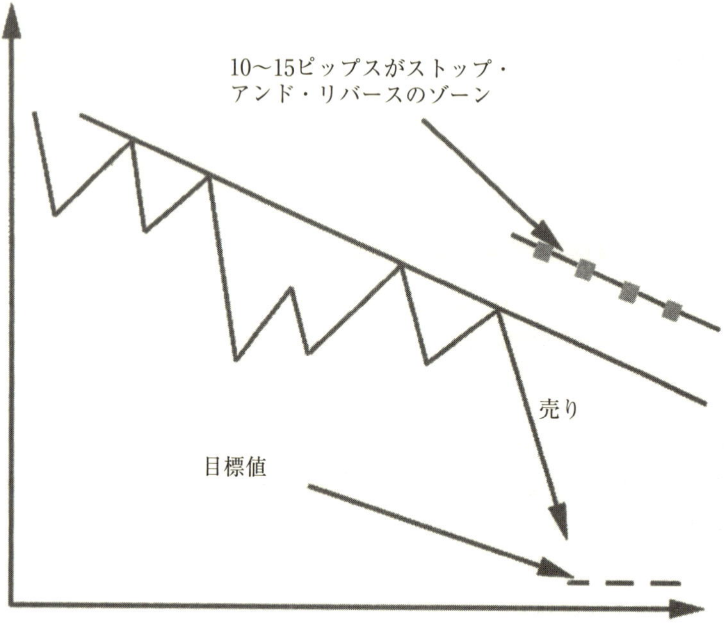

ということだ。例えば、そのラインが（それぞれの状況に応じて）サポートまたはレジスタンス、そして境界線として使用されているとする。相場がその境界線を越えれば、ポジションをドテンさせるシグナルになる（**図9.2**を参照）。

それ以降の展開としては、3つのシナリオが考えられる。

シナリオ１　トレンドラインのブレイクが起こらないケース

トレンドラインをブレイクしなかったら、発想の原点になっている

図9.4　トレンドラインがブレイクされたら、最初のポジションを損切りし、ドテンする

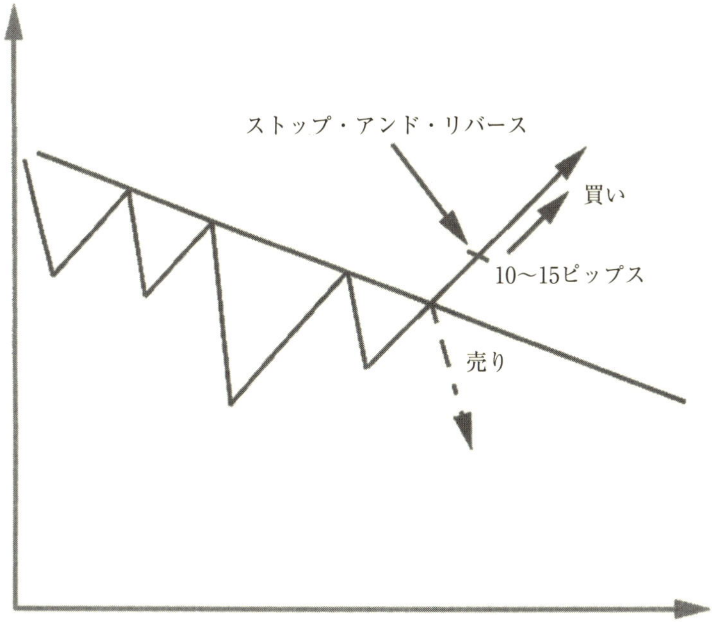

最初の２つの仮説に従って、トレンドラインの手前で最初のポジションを建てれば、短期間である程度の利益が得られる。ストップを置いたあと、リラックスして、利益が乗っていくのを楽しくながめていよう。選択した時間枠内で事前に練ったトレードプランに従って後ほど利益を確定する（**図9.3**を参照）。

シナリオ２　トレンドラインをブレイクして続伸したケース

これはシナリオ１よりも多少難しいが、手に負えないというほどではないはずだ。最初の損失で軽いストレスを感じることになるが、す

ぐに解放される。活発な動きでトレンドラインがブレイクされると、ストップが自動的に執行されることになる。最初のポジションで20～30ピップス取られたものの、新たなトレンド方向に新規ポジションが建てられたので、相場がブレイク後に続伸するにつれて利益が積み上がっていく（**図9.4**を参照）。新しいポジションを守るためのストップを置くことも忘れずに。新規ポジションの損失リスクは、最初のポジションのリスクと等しくなる。あとは、このブレイクがダマシにならないないことを祈るだけだ。

シナリオ３　トレンドラインのブレイクがダマシだったケース

３つ目はトレーダーにとって最もありがたくないシナリオだ。ダマシのブレイクが起きたときはいくら祈っても役に立たない。ブレイクが損切りのストップと仕掛けのストップを執行させたあと、相場は本物のフォロースルーとは呼べない動きをし、利食いのチャンスを与えることなく逆戻りしてしまう。相場は再びトレンドラインと交差するが、今回は向きが逆だ。ストップが再び執行され、連続２回の負けを喫する。２回ともダマシのシグナルに反応した結果だ。こんなケースでも、次のテクニックを使えば、まだまだ逆転のチャンスはある。

適切に識別されて描かれたトレンドラインは、トレードスペースを２つの部分に分ける。トレンドラインがレンジ内に収まることは通常ない。相場がトレンドラインを挟んで行ったり来たりを繰り返すことはないのだ。そこにイグロックメソッドに基づくトレードテクニックとマネーマネジメントの原則を適用することができる。現行の相場方向で未決済ポジションを持っているなら別だが、相場をトレンドラインを中心にした20～30ピップスの狭いゾーンで挟み撃ちする戦法だ。トレンドラインの両側15～20ピップスにストップを置き、そこに到達

図9.5　ダマシのブレイクは連続２回の負けトレードにつながるのが普通だが、ダマシブレイクの確率を評価できるあるデイトレードテクニックを使うことで避けることができる

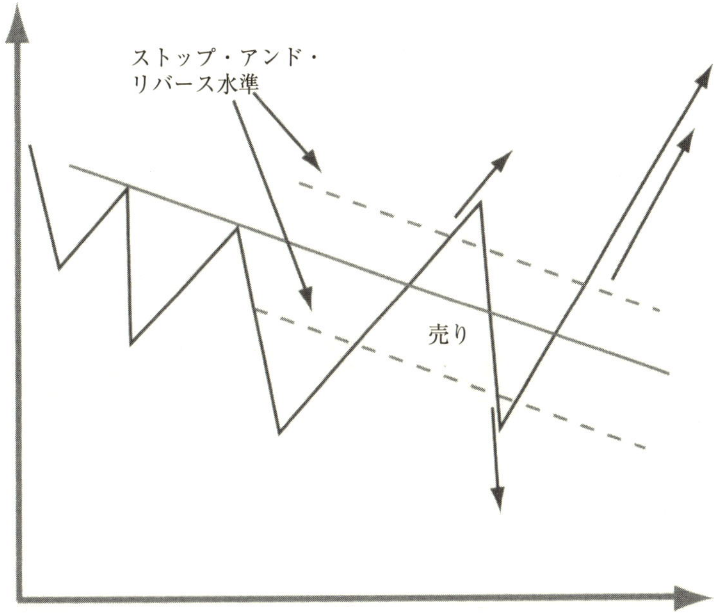

したら既存のポジションを損切りし、反対方向で新規ポジションを建てる（**図9.5**を参照）。

相場は遅かれ早かれこの揉み合いゾーンから遠く旅立ち、値動きに欠けた相場でのトレードによるすべての損失を十分に埋め合わせてくれることになる。唯一の問題は、相場としては早くても、トレーダーにとっては遅すぎるかもしれないことだ。だから、連続負けを３～５回に限定し、取引枚数、資金規模、必要な証拠金、自分の神経の強さに応じて決断することが必要だ。

ダマシのブレイクへの対処法には、その確率を定義する手法やマネ

図9.6　図9.6のａとｂは、トレンドラインをブレイクする試しが何度も失敗しているときはトレンドラインをブレイクしてから仕掛けるというプランでいくべきであることを示している

a

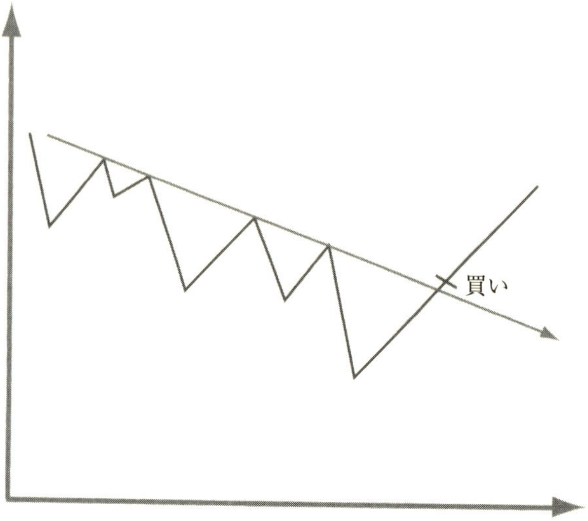

b

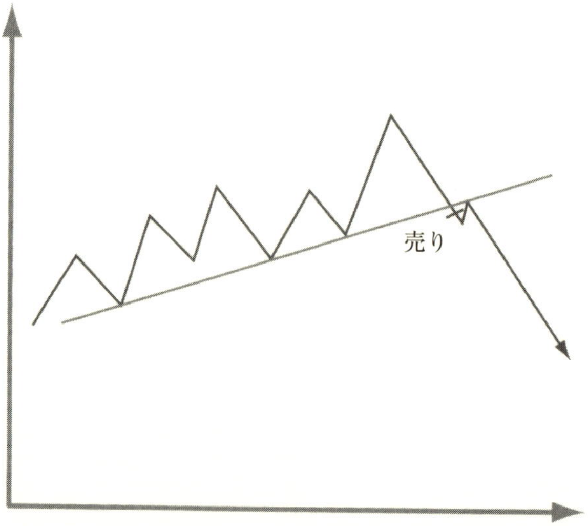

ーマネジメントを使用した手法など、ほかにもさまざま存在する。それらの手法についてはパート５でのちほど説明する。いずれにしても、トレンドラインがブレイクされても、それがダマシである可能性があることを常に想定しておく必要がある。

さまざまなトレンドライン、ネックライン、テクニカル情報、境界線、サポート、レジスタンスへのダマシのブレイクに対するさまざまな戦略については、ひとつの章を割いて別途説明する。

この章では斜めのトレンドラインについてだけ説明するが、注意すべきことがひとつある。トレンドラインをブレイクしたときの仕掛けのシグナルは、相場がサポートとして機能している上昇トレンドラインか、レジスタンスとして機能している下降トレンドラインをブレイクした場合にのみ有効、ということだ。上昇レジスタンスや下降サポートがブレイクされたら、それはダマシになる確率が高いことに注意しながら対応することが必要だ（**図9.6**の**a**と**b**を参照）。

チャネルに基づくトレード

あらゆる時間枠のチャート上で形成されたチャネルは、収益性の高いトレードを仕掛けるチャンスを示唆している。チャネルは私のお気に入りのテクニカルフォーメーションのひとつだ。なぜなら、リスクの程度を容易に見極めることができ、それをトレード中でも容易に監視できるからだ。チャネルは期待できる利益の規模を明確に表している。チャネルフォーメーションからシグナルを受け取った場合のリスク・リワード・レシオは、ほかのソースからシグナルを受け取った場合のトレードの平均リスク・リワード・レシオを上回る（**図9.7**の**a**と**b**を参照）。

チャネルには、上昇、下降、水平と３種類ある。短期の日中チャート上に形成されることが多く、短期トレードにだけ適している。チャ

図9.7　チャネルは私が気に入っているパターンだ。常に明瞭で、狭いストップとメジャード・オブジェクティブ・ターゲットを利用した両方向でのトレードの機会を提供してくれる

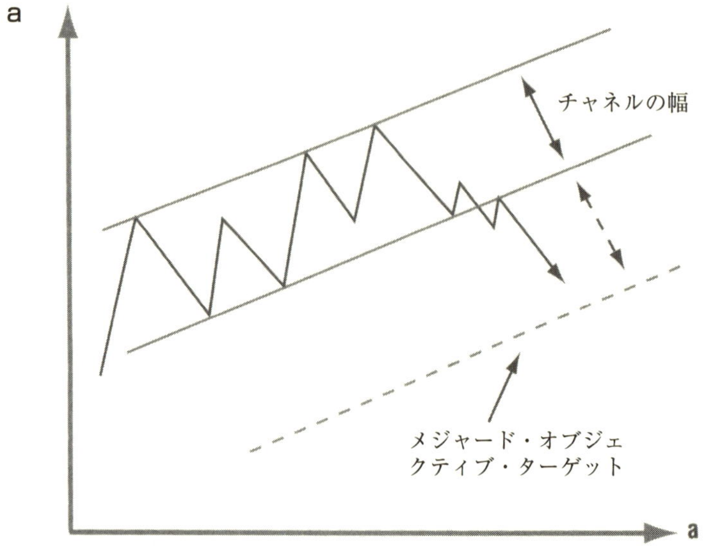

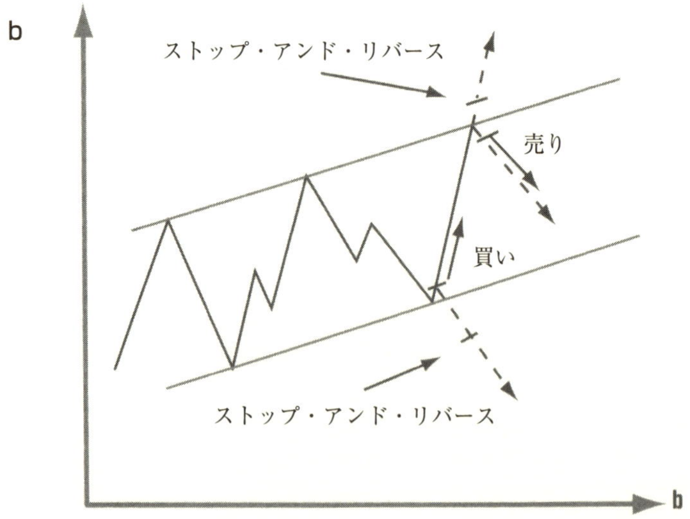

図9.8　その時点にほかのシグナルがないかぎり、上昇チャネルの上方境界線と下降チャネルの下方境界線のブレイクで仕掛けることは絶対にしない

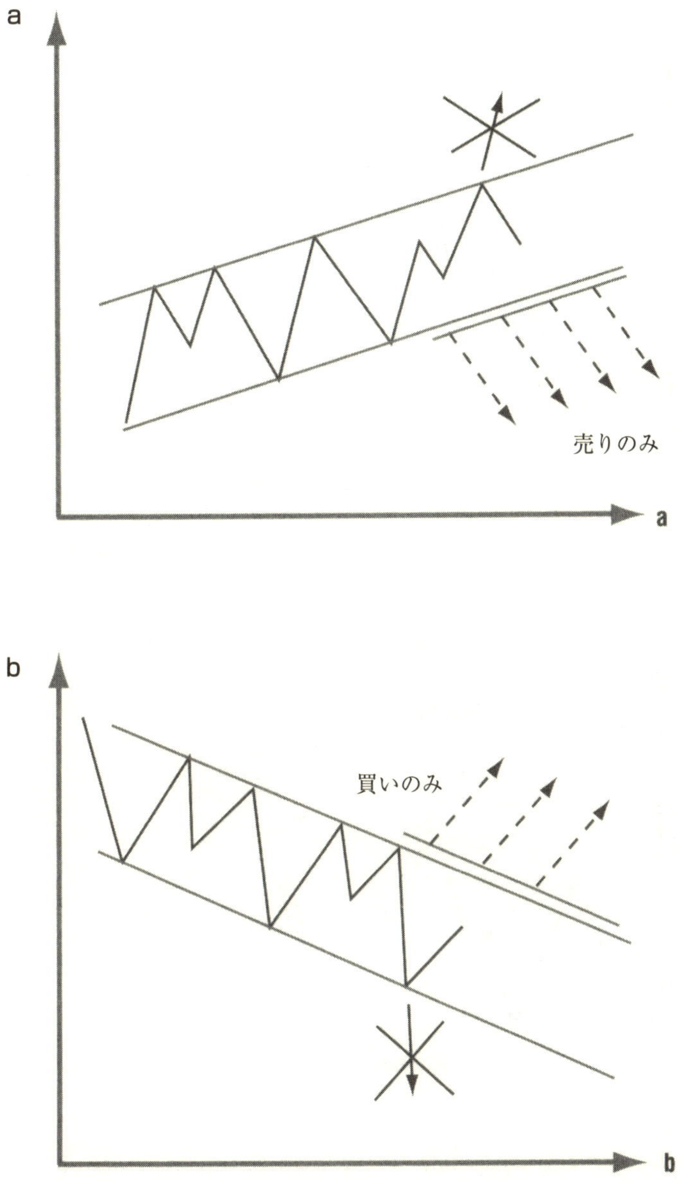

ネルは日足や週足チャートにも現れるが、あくまで長期トレンドの一部であり、その境界はやや明瞭さに欠けることが多い。

上昇チャネルと下降チャネル

チャート上でチャネルが発したシグナルに基づくトレードは、テクニカルトレーダーの推奨に基づくトレードとあまり変わらず、上昇・下降トレンドラインを利用したトレードの原則と似ている。トレードサイクルは、上昇チャネルの下方境界線でのロングポジションと下方チャネルの上方境界線でのショートポジションからスタートするのが普通だ。ストップをチャネル境界線の後方に置き、ストップが執行されたら反対方向で新規ポジションを建てる（ストップ・アンド・リバース）。

チャネルトレードのターゲットはチャネルの内側方向にあり、そこで最初のポジションが手仕舞いされ、反対方向の新規ポジションが建てられる。ストップはチャネルの近いほうの境界線の外側に置く必要があるが、それが執行された場合、その方向での動きが継続する可能性があるという確認とシグナルがさらに得られた場合にだけ、ポジションをドテンする。そうすればチャネルの内側方向で再び利益を得ることができ、ストップが執行されてポジションが反転するところまでのサイクルが繰り返される。

上昇チャネルの上方境界線や下降チャネルの下方境界線のブレイクは、ブレイク方向で仕掛けるための有効なシグナルにはならない。上昇チャネルの下方境界線や下降チャネルの上方境界線のブレイクだけがチャネルの外側方向のポジションを建てるに足るシグナルになる（図9.8のａとｂを参照）。

水平チャネル

理想的（もしくはほぼ理想的）な水平チャネルは、長期チャートに現れることはきわめてまれだが、日中チャートではよく見られる。5分足から1時間足チャートで最もよく見られ、4時間足チャートでも見られることがある。このチャネルは（前述した相場の法則に従って）少なくとも各々3つの点を通して描かれた2本の水平線で構成されているため、いずれのラインも近い将来にブレイクされる可能性が高い。

私の経験では以下のことがいえる。

●大多数のケースで、最初のチャネルのブレイクはダマシである
●ブレイク後、同じ方向での動きが少しあり、それからチャネルの内側へ戻る
●チャネル内に戻ったあと、チャネルを横切り、もう一方の境界線を突破する
●2回目のブレイクのあと、チャネル幅を超えるような大きなフォロースルーがある

私のテンプレートには、水平チャネルフォーメーションからのシグナルに基づくものもある。これらのテンプレートについては、デイトレードに重点を置いたパート4で説明する。水平チャネルに対してどのようなトレード戦術を選択するかは、相場状況よりも、主としてトレーダーの個人的な好みに依存する。多少のバリエーションはあるものの、基本的には前述したシナリオと変わらない。大きく乖離することはきわめてまれだが、絶対にないとはいえない。私が「トレーダーの個人的な好み」という意味は、「より大きな利益を得る機会のためにさらに大きなリスクを受け入れるか」ということだ。それはそのトレーダーの保守性の程度、相場の監視に費やす時間、経験、状況に対

応する速度に依存する。

その他のテクニカルフォーメーションに基づくトレード

私は古典的なテクニカル分析で受け入れられている通常の方法とは多少異なるやり方で、さまざまなテクニカル情報に基づくトレードシグナルを使用している。

ヘッド・アンド・ショルダーズ

ヘッド・アンド・ショルダーズは最も有名な反転を示唆するテクニカルフォーメーションであり、初心者にもよく知られている。チャート上にその影もないのにヘッド・アンド・ショルダーズを見てしまう新人トレーダーも多い。存在しないのにヘッド・アンド・ショルダーズを見ることは、想像力が豊かであるためではなく、テクニカル分析の基本知識が不足しているためだ。相場の波動変化は恒常的に発生しており、どんな順序の関係のない動きでもヘッド・アンド・ショルダーズと誤解してしまう可能性がある。この過ちは、トレーダーがポジションを建てていて、自分の見方に対する確認を探し求めている場合によく起こる。希望的解釈は冗談では済まないハメに陥ることが多い。

そのため、例えば、ヘッド・アンド・ショルダーズに関連するテクニカルシグナルを利用する前に、まずそのフォーメーションを識別することを学ばなければならない。テクニカル分析に関する教科書なら、このフォーメーションの外観を示す分かりやすい図が載っているのでぜひ見直してみることだ。そうしてヘッド・アンド・ショルダーズの形状に関する記憶を新たにし、標準的な仕様から逸脱しないことをお勧めする。実際のトレードでは、特定のフォーメーションの識別に不

図9.9　現実の相場では珍しいほど教科書的に完璧であるため、さまざまな見方やアイデアを図示するために、同じ逆ヘッド・アンド・ショルダーズ・フォーメーションを繰り返し使用している。10人いたら10人全員が識別できるだろう

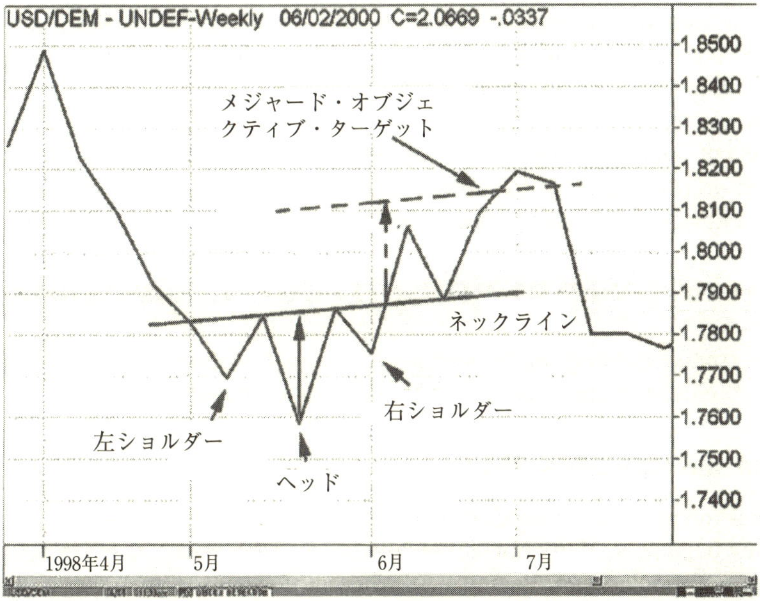

安があるなら、そのフォーメーションは考慮しないほうがいい。少なくとも９～10人のトレーダーがそれと識別していれば、そのフォーメーションは本物と考えることができる（**図9.9**を参照）。

だがすべての明白なフォーメーションには、膨大な数のトレーダーが見ることができるというひとつの基本的かつ明白な欠点がある。少数派の市場参加者たち（この場合、何らかの理由でそのフォーメーションを識別できない人たち）からお金をたくさんいただくことが期待できないため、やっかいなことになる可能性が高い。このジレンマを解消するには何らかの策が必要だ。

テクニカル分析では、ネックラインがブレイクされたときに相場の動きの方向で新規ポジションを建てることが推奨されている。その一方で、相場の法則では、他人と同じように考えていると必ず負けると言われている。ヘッド・アンド・ショルダーズ・フォーメーションの正しい（つまり、教科書どおりに動く）シナリオの確率は50％未満なので、そのような状況でどのように行動しようと統計上の優位性はない、というのが結論だ。

不利な状況から脱することはかなり簡単だ。まず、ネックラインはクリティカルなラインであるため、トレンドラインの例で前述したようなマネーマネジメントシステムを適用し、ストップとリバース（ドテン）を併用すれば望ましい結果を達成することが可能だ。それから、相場がクリティカルなゾーンからいずれかの方向へ放れるまで待つ必要がある。次に（私が頻繁に使用する手法だが）、このようなフォーメーションが完全に形成されてしまう前に、先を見越して新規ポジションを建てることができる。ヘッド・アンド・ショルダーズの場合、２つ目のショルダーのトップが現れると考えられるポイントで新規ポジションを建てることを好む。２つ目のショルダーのトップになるポイントは、すでに形成されている１つ目のショルダーのトップからネックラインに平行なラインを描くことによって判断できる。

逆ヘッド・アンド・ショルダーズの場合、仕掛けのポイントは２つ目のショルダーのボトムになる。ストップは日中のサポートとレジスタンスに応じて置く必要があるが、その特定のフォーメーションのスケールとサイズに応じて決められた一定の距離だけ離して置くこともできる。この手法には、ある程度の実務経験が必要だが、簡単に学ぶことができる。このようなケースで必要なことは、常に状況を注視し、変化を把握しておくことだ。

ダブルトップとダブルボトム

このフォーメーションに基づくトレードに関する私のアドバイスは、ヘッド・アンド・ショルダーズの場合と同じだ。ただし、ネックラインのブレイクで仕掛ける部分だけだ。２つ目のトップ（ボトム）が完成するまでポジションを建ててはいけない。なぜなら、仕掛けのポイントを正確に定義することが必ずしもできないからだ。このフォーメーションは水平ではなく、傾くことがときどきある。私の見解は古典的なテクニカル分析におけるアドバイスと変わらない。比較的狭いストップを置き、そのストップが執行されたらポジションを反転することによってダマシのブレイクから自分を守ることだ。

トライアングルとトライアングルに似たフォーメーション

テクニカル分析では、ウエッジなど、トライアングルに似たさまざまなフォーメーションに関してさまざまな名前と定義がある。テクニカル分析では、それぞれのタイプのフォーメーションが完成したあと、相場が異なる動きをする。ダマシのシグナルとダマシ気味の動きが頻繁に現れるため、フォーメーションの境界線がブレイクされたあとに相場がどう動くか予測することは難しい。いずれにしても、トライアングルとその他の同様なフォーメーションは、ほぼ常に、ほかの何らかの理由や状況に依存することなく、勝ちトレードの機会を提供する。トライアングルを利用したトレードでは、それが継続と反転のどちらのタイプのフォーメーションであるかは気にしない。トライアングルに対する私の手法はかなりシンプルだ。

まず、２つの高値と２つの安値が形成されたあとのトライアングルを早めに識別できる機会はきわめて頻繁に存在する。それらの値を結ぶことでトライアングルの辺になると想定されるラインを描くことが

図9.10　拡大トライアングルは、私が心から嫌っている唯一のフォーメーションだ。この図では分かりやすそうだが、実際には完成前に識別することはきわめて難しい。私自身の取り返しのつかない負けのほとんどはこの比較的まれなパターンに起因する。一方の境界線への３回目の接近だけが、現行トレンドと逆方向で仕掛ける有用かつ認識可能なシグナルを与える

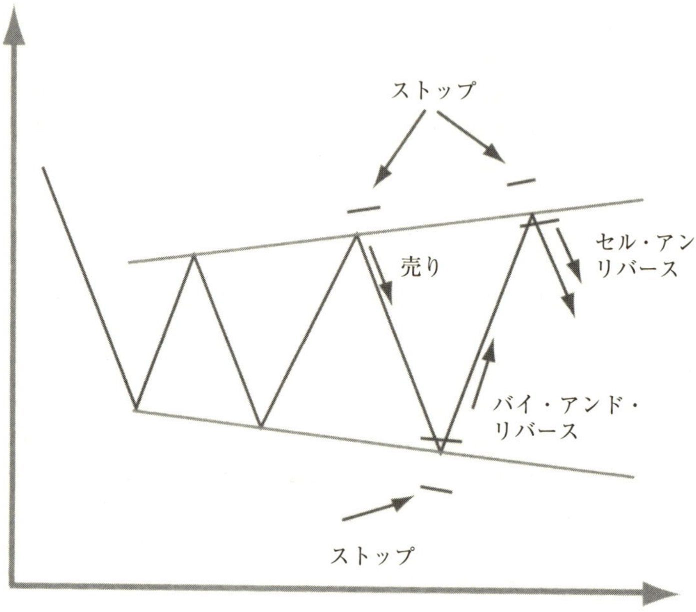

可能だ。トライアングルを早めに識別することでそのフォーメーションの内側で１～２回トレードを行うことができる。トップまたはボトムでその反対側をターゲットとするポジションを建てる。相場が反対側に達したら、ポジションを利食いし、またフォーメーションの反対側をターゲットとして反対方向でポジションを建てる。どちらの場合もストップはフォーメーションの外側に置くが、トライアングルの幅が狭い場合は両側に置く必要がある（**図9.10**を参照）。

本物のブレイクは、相場が両方の辺（境界線）を３回触れたあとで現れるのが普通だ（ときには、４～５回目の接触など、それ以降で

図9.11　トライアングルに似たフォーメーションに基づくトレードは難しくないはずだ。すべてが明瞭であり、境界線へ向かっているとき（内向き）でも、または境界線をブレイクしたとき（外向き）でもポジションを建てることができる。ストップを置く場所を選ぶのも簡単だ

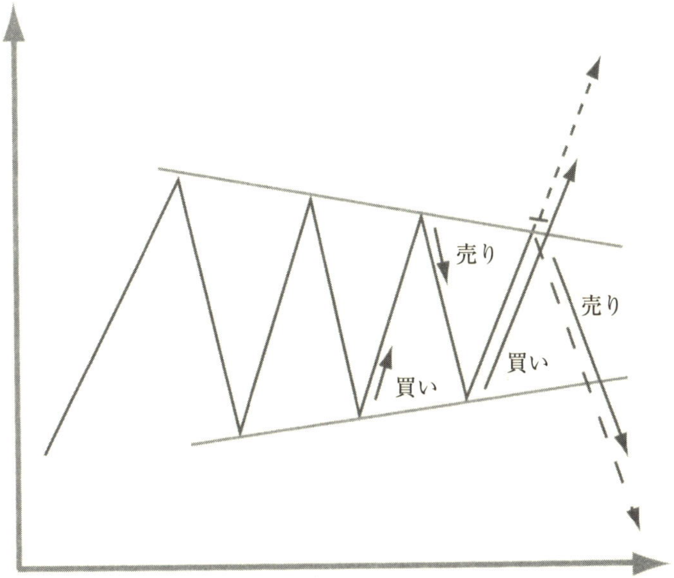

も現れるが、そこまで待つ必要性はない）。一方の辺から他方の辺へ、トライアングルの内側でトレードを仕掛けたあと、一方の辺への４回目（またはそれ以降）の接触を待ち、相場がフォーメーションをブレイクしたら、その動きの方向でポジションを建てる（**図9.11**を参照）。ここでも、やっかいで予期できないダマシのブレイクに引っかかることがある。ダマシのブレイクの場合、相場がトライアングルの内側へ戻ったらそのポジションを損切りする。利益確定の水準は、ブレイクポイントからトライアングルの縦幅に等しい距離に設定すべきだ（**図9.12**を参照）。

トライアングルに似たフォーメーションに対処するうえで役立つもうひとつのポイントは、現実にはダマシのブレイクのほうが本物のブ

図9.12　トライアングルに基づくトレードでは利食いポイントを事前に算定しておくことも難しくない

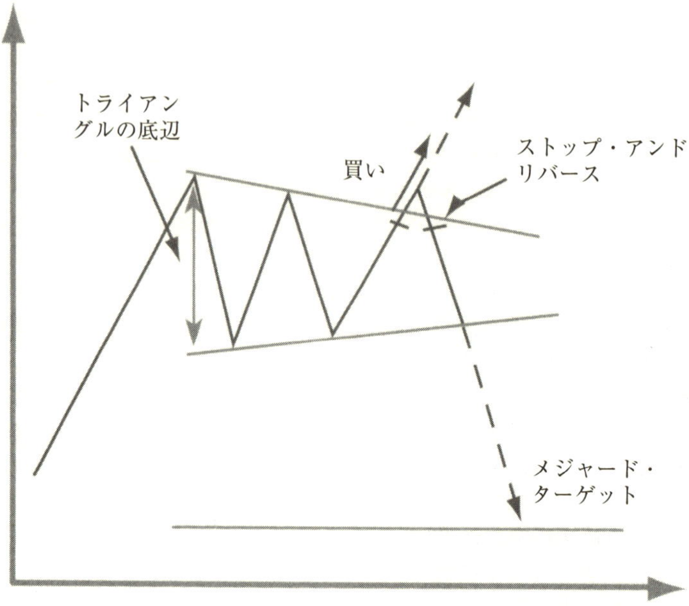

レイクよりも、多くの場合トレーダーにとって有利であることだ。先で何が起こるかをより高い確率で予測できるからだ。なぜかといえば、ダマシのブレイクは、次の大きな動きが反対方向への動きになることを高い精度で確認するもの以外の何ものでもないからだ（**図9.13**を参照）。

ほとんどのケースにおいて、トライアングルの辺におけるダマシのブレイクは、その後の相場の意図を高い精度で確認している。つまり、次の相場方向が、ダマシのブレイクとは逆の方向にあることを指し示している。ひとつの方向でのブレイクがダマシになることで、相場が再びトライアングルを横切り、容易に算定可能なオブジェクティブターゲットに到達する可能性がきわめて高いと仮定することができる。

図9.13　トライアングルのダマシのブレイクにおけるトレード方法

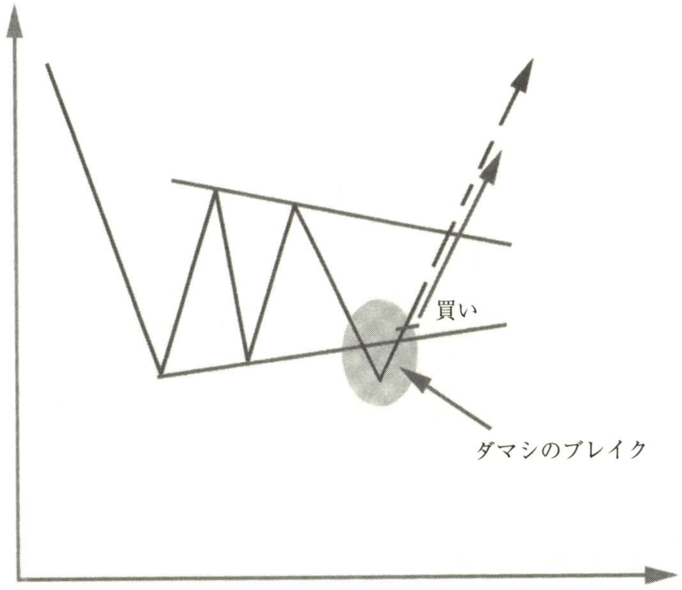

トライアングルをトレードプランを構築する基礎として使用する方法についてはパート５で説明する。

明確な境界線を持つその他のフォーメーション

レクタングル、フラッグ、その他のテクニカル分析用のフォーメーションには、明確な輪郭を示す境界線が存在するという優位性がある。それら境界線はサポートやレジスタンスなどのクリティカルレベルとして使用することが可能であり、そう使用すべきだ。フォーメーションの幅が十分にあれば、その内側（境界線間）でトレードすることが可能だ。フォーメーションのいずれかの境界線をブレイクしたら、ポジションを反転すべきだ。

トライアングルのところで説明したように、明確な境界線のあるフォーメーションのダマシのブレイクはチャンスであり、使用するトレードテクニックもほぼ同じだ。

ラウンドトップ（ラウンドボトム）とVフォーメーション

この2つのフォーメーションは、テクニカル分析の教科書では明確明瞭に図示されているが、イグロックメソッドを実際に適用できるケースにお目にかかったことはまだない。このフォーメーションには明確な境界線が存在しないため、事前にトレード戦術を練って利用することができない。特定の水準で仕掛けのシグナルを受け取ることも、ストップを置く場所を判断することもほとんど不可能だ。このフォーメーションは、あらゆる出来事が起きてしまい、もう何をするにも遅すぎるようになってから明確になることが多い。

ときには信頼できそうな仕掛けのシグナルが現れたり、ストップを置ける水準がこのようなフォーメーション内で形成されることもある。私も何度かやったことがあるが、場合によってはそういう動きをとらえることもできる。基本的なフォーメーションとは無関係のシグナルに反応したり、たまたま絶好のタイミングで絶好の場所に居合わせたことで自己満足し、実力だと感違いしてしまうトレーダーもいる。満足することに異論はないが、それは偶然の産物にしかすぎない。

相場が次にどこへ向かうかは、知ることも、予測することも絶対にできない。そのことをゆめゆめ忘れてはならない。

第10章
トレードする通貨ペアを選ぶ
Choosing a Currency Pair to Trade

トレードする通貨ペアを選ぶときは、実際に意味のある要素だけを考慮に入れるべきだ。愛国主義や地理的な理由で投機トレード用の通貨ペアを選ぶトレーダーがいることにはいつも驚かされる。例えば、オーストラリアの多くのトレーダーは基本的にUSD/AUDまたはNZD/AUDをトレードしている。ニュージーランド、カナダ、フランスをはじめとする多くの国のトレーダーは、それぞれ自国の通貨を好んでトレードしている。自国通貨を米ドルや地理的に近隣の国の通貨に対してトレードするのだ。だが、このビジネスに参加する基本的な目的は、われわれの愛国心や自尊心を証明するためではなく、できるかぎり大きな利益を得るためだ。投機トレーダーから見れば、為替投機の通貨ペアを愛国心や地理的な理由で選択することは、功利的でなく、正当化することもできない。投機トレードのための通貨ペアの選択は特定のパラメータに従って行うべきであり、愛国心と居住地はそのなかに含まれていない。

通貨ペア選択の基本条件は、その流動性、活況度、平均変動幅（取引レンジ）でなければならない。これらのパラメータが高ければ高いほど、投機トレーダーにとってその通貨ペアは望ましい。この定義に最も適した通貨ペアのリストにまず含まれるのは、USD/CHF、USD/JPY、EUR/USD、EUR/JPY、GBP/EUR、GBP/JPY、CHF/

JPYだ。このグループにケーブル（GBP/USD）を入れていないことに驚かれるかもしれない。その理由は、同通貨ペアにはほかのすべての主要ペアと同様にほぼ理想的な流動性があるものの、１日の平均値幅が望ましいほどにはないからだ。また、１ピップスのコストが低いことは、短期・デイトレードよりも中期のポジショントレードのほうに向いていると思う（私もトレードすることはあるが、あまりしない）。

短期投機トレード用に通貨ペアを選ぶときの最も重要かつ決定的な基準は、その時点におけるテクニカル状況が最大限に適合していること、つまり使用するトレードテクニックやトレードシステムにどれくらいマッチしているかでなければならない。本書では私の取引手法を前提としているため、私が使用しているテンプレートのひとつにチャートが最大限に適合していることが、特定のトレードにおいて特定の通貨を選択する決定的な要因になる。その時点で相場がいくつかの重要なテクニカル水準のすぐ近くにある場合は特に重要だ。

私は分散化には基本的に賛成だ。さまざまな通貨ペアをトレードすることは可能であり、必要なことだと考えている。だが、私自身の経験では、さまざまな通貨ペアのポジションを同時に保有していると注意が散漫になる。同時にすべての通貨ペアをフォローすることはかなり難しい。だから、私は同時に保有するポジションは２つか（ごくまれに）３つまでにしている。一部のケースでは（例えば、USD/CHFとEUR/USDをトレードしている場合）、私は「代用品」を使用する。代用品とは、それらのうちのひとつを分析するが、（その分析に基づき）もう一方の通貨ペアをトレードするという意味だ。

スイスフランは基本的に市場において特別なアイデンティティを持った存在ではない。大局的に見ればユーロの代用品ともいえる。しかも、活況度が高く、変動幅が大きく、完璧な流動性を有している。これらの特徴から、USD/CHFは投機トレードにとって最も魅力のある通貨ペアのひとつだといえる。

第11章

マネーマネジメントのルールとテクニック

Money Management Rules and Techniques

マネーマネジメントは投機トレードの重要な構成要素だ。それなしにはどんなトレーダーも成功することはできないし、どんなトレードシステムも成立しない。マネーマネジメントの基本的な役割は、起こりうる大きな損失に対して投資資金を守ることにある。

マネーマネジメントの目的は、１回の損失、場合によっては連続何回もの損失によってもトレードの続行が不能になることがないように、取引口座を管理不能な状態にまで破綻させないように、投資資金のリスクと配分をコントロールすることにある。より具体的には、マネーマネジメントは未決済ポジションの現行利益を維持し、確定するテクニックでもある。

経験豊富なトレーダーが資金の最善の管理方法に関する考え方やアドバイスを紹介しているマネーマネジメントに関する本は山とある。

そのアドバイスはおおむね注目に値するが、残念ながら、数々の本の著者たちが一致して挙げているのはあるひとつのことだけだ。マネーマネジメントはトレーダーにとって絶対に必要不可欠なものであり、それなしに成功を期待することは不可能である、ということだ。だが、こと実際のアドバイスとなると、なかにはまったく正反対のものもあるほどバラエティーに富んでいる。だから、そういう本を読めば読むほどさまざまな意見があるため混乱してしまう。

トレーダーのそれぞれの状況、トレードシステム、相場状況、通貨ペアに対して最適な手法をひとつだけ選ぶことはほぼ不可能だ。それに、何より、マネーマネジメントに関するほぼすべてのアドバイスは、基本的に長期のポジショントレード向けであり、デイトレードや短期トレードにはあまり当てはまらない。そのため、私のアドバイスにはある工夫を施した。デイトレードを対象にしたトレードテンプレートごとにマネーマネジメントに関する実際的なアドバイスを入れることだ。

トレードの戦略と戦術を構成するあらゆる要素は互いに結びついているため、情報の重複がある程度発生することになる。

マネーマネジメントの問題に対する私の手法には５つの基本原則があり、それらについて以降の各項目で概説する。

マネーマネジメントの戦術と戦略を正しく選べば、トレーダーが犯す過ちの大半は正すことができ、損失を取り戻すことができる

この原則はイグロックメソッドの最初の２つの仮説――「相場の動く方向は２つしかない」と「相場は常に動いている」――から直接来ている。現実として、相場が手持ちのポジションと逆に動いたら、その見込みのないポジションは損切りし、反対方向で新規に建てれば、ほとんどの場合その損失を直ちに取り戻すことができる。正しいタイミング、正しい場所でそうすれば、精神的にも楽になり、損失を比較的早く取り戻すことができる。ストップを置いておけば、損失がトレードの続行を妨げるほど大きくないかぎり、損失をすぐに取り戻すことができる。

このテクニックは、イグロックメソッドの３つ目の仮説から、とりわけデイトレードでうまく機能する。通貨ペアの１日の平均値幅は事

前に分かっていることが多いので、最初の損失を完全もしくは部分的に取り戻せる可能性がその相場に存在するか否かを推定することはさほど難しくないはずだ。この手法は実際のトレードで容易に使用できる。テクニックの詳細については本書のパート５で説明する。

（中期または短期のトレード中、３つ目の仮説は補助的な役割しか果たさず、ドテンのやり方が多少異なる）。

１回のトレードでの損失を限定する方法は、全資金に対する一定割合や絶対金額に基づき決定してはならない

相場だけが、見込みのないポジションを損切りすべき時と場所を提示してくれる。トレーダーの唯一の権利は、その相場のオファーを受け入れるか、拒否するかだ。そのためストップは、トレーダーが１回のトレードで失っても大丈夫だと考える金額ではなく、相場のテクニカル水準に照らして決定しなければならない。ポジションを損切りし、損失を受け入れる相場水準は、事前に計画し、トレードプランに最初から組み込まれていなければならない。トレーダーはいかなる状況でも許容できる損失限度を常に心得ておく必要があり、その金額を事前に計算しておかなければならない。ストップを置くのに適した最も近いテクニカル水準が許容損失を超えていたら、トレードを延期するか、完全にやめてしまうべきだ。それから許容損失限度内でストップが置けるような水準になるか、新しいチャンスが現れるまで待つことが必要だ。

１回の損失や連続した損失に耐えられる資金を常に持っていなければならない

取引業者や取次業者のポリシーとは別に、証拠金と取引単位に関して自分自身の限度を設定しておかなければならない。それら限度はオーバートレード状況に直接関連する。10～20％の証拠金によるトレードが私には最適だと思う。例えば、取引口座の１万～２万ドルの資金に対して10万ドル未満の未決済ポジションを１つだけという比率にとどめる。そのようにトレードしていれば、短期間で過大な損失を被るリスクはかなり限定される。同時に、資金を十分に活用することで、全資金に比して十分な利益を得ることができる。デイトレードの場合でもこれは変わらない。

ナンピンは実際のトレードで使用するにはきわめて危険なテクニックだ

ナンピンはマネーマネジメントの観点からきわめてコントロールが難しい手法であり、限定されたケースでしかお勧めできない。資金の少ない初心者には絶対にお勧めできない。ナンピンはマネーマネジメントの敵であり、このビジネスからすでに去った大多数のトレーダーが全資金を失った主な理由になっている。

ナンピンは含み損になっている既存のポジションにさらに新規ポジションを追加するトレードテクニックだ。すべてのポジションが同じ通貨ペアで、同じ方向のトレードだ。基本的に、ナンピンとは、すべてのポジションがその時点の相場方向と逆にあることを意味する。多くの場合、このことは、自分が間違ったという証拠であるにもかかわらず、その間違った見方にとらわれ続けていることを意味している（**図11.1**を参照）。

図11.1　この簡単な図は誤った考えに固執していると、資金もトレーダーとしてのキャリアも台無しにしてしまうことを示唆している

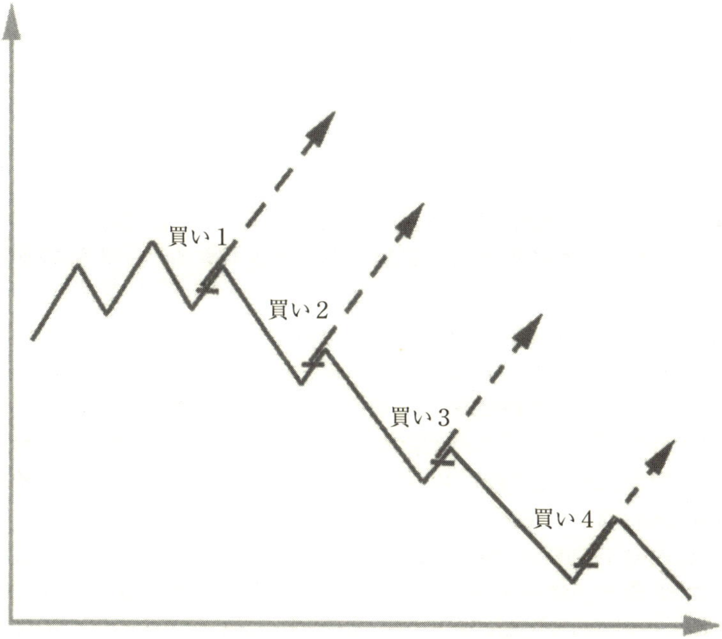

ナンピンの大きな問題は、トレーダーが意識的に選択した当初のプラン、戦略、戦術に組み込まれていることがまずないということだ。トレーダーが想定していなかった状況が相場で展開し始めたので、衝動的にとられた措置だ。つまり、そもそもが間違いなのだ。

そのような自分の意思に反するポジションを抱えてしまうのは、以下のような理由よるところが多い。

●強欲

●トレード経験の不足

●自分の過ちを認識する意思もしくは能力がない

●相場は必ず戻ってくるという無邪気な思いこみ

●予測に依存
●自信過剰
●いずれ損益ゼロで手仕舞いできるようになるという期待感

個人トレーダーや大きな投資ファンドのマネジャーが被る最大級の損失は、ナンピンのような操作と関係していることがきわめて多い。もちろん機関投資家が破滅的な損失を被る理由には個人投機家の場合と異なる理由もある。それらは通常、長期トレンドの強さの見定め、ひいてはマネーマネジメント戦略の間違いに関連するのが普通だ。ベアリングス銀行、ロング・ターム・キャピタル・マネジメント（LTCM）、タイガーファンド、クオンタムファンドをはじめ、そのような損失の事例はたくさんある。

お分かりのように、いくら巨額の資金があっても、マネーマネジメントの間違い、特にナンピンのような戦略に起因する損失を防ぐことはできない。

このテクニックを使用したポジショントレード戦略構築の基本原則については後ほど説明しよう。

新規ポジションを建てるたびに必ずしもリスク・リワード・レシオ（損益比率）を考える必要はない

想定利益と想定損失の比率が常に１よりも大きくなければならないという基準はトレーダーの間で広く受け入れられている。この問題はマネーマネジメントとも関連性があるかもしれない。このレシオを数学的に考えれば、勝ちトレードと負けトレードの数が同じであることを意味する（コミッション、スリッページ、その他の運営費用などを考慮に入れない場合）。つまり、各ポジションは「リスク÷リワード＜１」または「利益÷損失＞１」という条件を満たしていなければならない。これらの条件は基本的に同じだ。

この種のレシオは「あなたが勝つたびに、あなたの相手は、あなたが負けたときに相手に支払うよりも多くの金額を支払う」というルールのコイン投げになぞらえることができる。50対50の比率（裏と表）でも、全体としての利益が保証されることは明らかだ。あらゆる書籍、パンフレット、セミナーなどでのリスク・リワード・レシオに関する説明はほぼ同じだ。つまり、リワード側のほうが大きくなるような比率が必要であることにだれも疑問を感じていない。それだけでなく、多くのトレーダーにとって、負けトレードの数のほうが勝ちトレードの数よりも多い。それで成功するには、勝ちトレードの平均利益が負けトレードの平均損失を上回っていることが必要だ。

本音をいうと、このような数学的な絶対真理は、結論があまりに単純化されていて、私にはかなり疑わしく思われる。この絶対不変の基準にはほかの解釈が存在しないかのように扱われている。それは数学に基づいているからだけではなく、いわゆる常識から考えてみても真実として素直に受け入れられるからだ。だが、私には、その見方が間違っているように思える。

私が本書を書くことを思い立ったとき、どんな知識レベルの人でも理解できる、単純で明解なものにしようと誓った。つまり、私の基本的な目標は、私の生徒たちに余計な公式や理論的計算を押しつけることなく、一般的なレベルの知識だけを手掛かりに実践的なトレードスキルを身につける機会を与えることだ。過度に学術的なアプローチは避け、できるだけシンプルにすることにも努めている。

「リスク÷リワード＜１」というお定まりの条件を支持している人たちは、実際のトレードでいくつかの基本的な過ちを犯すように思える。

まず、個々のトレードを独立した出来事として考え、個々のトレードの勝敗の確率が50対50であると仮定している。そうなると、毎回ポ

※参考文献：『文庫 マンガ LTCM 巨大ヘッジファンド崩壊の軌跡』（パンローリング刊）

ジションを建てる決断がコイン投げと変わらなくなってしまう。さらに、その場合、3つのステップからなる初歩的なメカニカルシステムが働いているはずだ。

1．1日の初め（もしくはその他の任意の時間）にコインを投げ、ポジションを建てることを決定する。
2．仕掛け値から一定の幅で、想定損失を限定するストップを置く。
3．反対側に、一定の幅で、利食いポイントを置く。ただし、その幅は仕掛け値から損切りストップへの幅よりも大きい。

いかなる時点においても相場がどちらの方向へ動く確率も同じであると仮定できたら、きわめてシンプルなシステムによって利益が保証されることになる。現実には、リスク・リワード・レシオの支持者を含め、だれもそのようなトレードをしていないことは明らかだ。

次に、トレードは、関連性のない独立した個別の出来事の集合としてではなく、独自の継続した時間を有し、確率推定のシステムに従ったいくつかの連続的なステップから構成されるプロセスとして見なければならない。そう考えれば、勝つ確率のほうが負ける確率よりも毎回高く、しかも時の経過とともに変化していることは明らかだ。トレードにもうひとつの可変要素（例えば、取引サイズの変更）が加われば、リスク・リワード・レシオに固執する意味はなくなる。

理論的な説明から離れて現実のトレードを見てみれば、利益が乗っているポジションを利食いするポイントを定めること、つまりすべてのトレードでターゲットを設定することが必ずしも容易でないことが分かる。ターゲットがなければリスク・リワード・レシオの計算は不可能だ。

最後に、マネーマネジメントの原則を無視すれば、遅かれ早かれ破滅することを付け加えておこう。

第12章
相場の動きとトレーダーの規律
Market Behavior and Trader Discipline

心理と規律はトレーダーにとってきわめて重要な問題だ。前述したように、心理的ストレスを減らしたいという願望が私を「裁量的システマティック」なトレードシステムの開発に向かわせた。

集団心理、市場心理、トレード心理などについては数多くの書籍がすでに存在するので、ここでは、それらの著者たちによって十分に書きつくされているありふれたことは繰り返したくない。私は基本的に他人の意見は引用しない主義であり、何でも自分で考え、分析することを好む。それらの本を読んでみると、トレーダーの一般的な問題を取り上げ、それに対してそれぞれ独自の解決策が提示されている。なかには健康な人でも心理的に病んでしまう可能性があると思うようなアドバイスも見られた。精神分析医でも長期間診療を続けていると患者に似てきてしまうことが多いことはよく知られている事実だが、普通の人間から見ると彼らのアドバイスが奇妙に感じられるのはそのためだ。

私たちはみな精神的には正常な大人であると想定し、個々人の心理分析に立ち入ってはならないと思う。それゆえ、心理的な問題に関する私のコメントとアドバイスはいくつかに限定することにする。イグロックメソッドは、過大な心理的圧力とストレスに対する信頼できる保護機能を提供するはずであり、そのことはすぐに納得していただけると思う。

想像するに、参加しようとするビジネスの性質について最初から理解していたほうがトレーダーにとってはるかに有利で無駄がないと思う。トレードのプロセスやマーケット全般に対する各自のアクションやスタンスはそのあとで考えればいい。

トレードに関連する多くの（実践上および心理的）問題の解決は、マーケットの構造とその推進力と特徴を正確に理解することなしには不可能だ。問題は、そのものだけから生じるのではなく、投機家をとりまく具体的な条件を反映して生じるものだ。それらすべてが、われわれが「マーケット」と呼ぶ現象の特徴だ。トレーダーとマーケットとの相互関係は複雑であり、その関係をある程度理解しようと努めることが賢明だと思う。

マーケットに参加する決断をする前に、どんな問題が起こりうるのかを正しく思い描き、初心者が抱きがちないくつかの間違った妄想を払拭する方法を探るべきだ。治療は正しい診断から始めるものだから、トレーダーが遭遇することになる問題に対する解決策は、問題の定義から始めなければならない。トレーダーの心理と感情のコントロールが重要であることは、本書のこれまでの各章ですでに言及した。ここでは、マーケットとトレーダーとの相互関係についてさらに詳しく探求したいと思う。

投機トレーダーから見たマーケットとは？

マーケットとは何で、どのような仕組みになっているのかというありきたりのことを説明するつもりはない。投機ビジネスの表の顔ならFX関係の書籍やパンフレットやインターネットサイトでいくらでも情報が得られる。投機トレードに関する私自身のビジョンを紹介しよう。マーケットとトレーダーという仕事の具体的な特徴に関する私の説明には（議論の余地がないとはいわないが）価値があると思う。

マーケットのモデルとマーケットの予測可能性という２つの独立したテーマは、これまでと同様、今後も議論の対象になっていくだろう。

マーケットのモデル

マーケットとは、参加者たちの間で協力関係が存在せず、その結果として為替レートが常に予測不可能な形で変動している状況である。

長い間、何になぞらえることができるか、どうしたらいちばんうまく説明できるか、マーケットをどのように定義できるかという問題に興味を持ち続けてきた。そんなことを考えていたら突然、昔のある出来事を思い出した。何年も前に、家族の協力の問題、より具体的には、目的を達成するために協力する配偶者の能力に関する問題を対象にした興味深い科学的実験を目にしたことがある。その実験のひとつは次のように構成されていた。

各カップルは話すことはもちろん、その他のいかなる方法でも意思の疎通ができないように別々の部屋に分けられる。お互いに見ることもできない。両方の部屋には可変抵抗器が置いてあり、共通の電気網に接続されている。両者がそれぞれ専用の可変抵抗器を操作し、電気網の電圧を変更する。両者が協力して電圧の目盛りを特定の位置に合わせることが目標だ。

私が覚えているかぎり、成功したのは20組のうちの１組だけだった。夫のほうが電圧の目盛りを最大限まで上げ、妻に自由に調整させ、彼女の装置の目盛りを目的の位置へ合わせる機会を与えた。その他の全カップルは成功しなかった。なぜなら（共通の目標があったにもかかわらず）その作業を達成するために行動を適切に調整することができなかったからだ。装置の目盛りを動かし続け、固定しておくことができなかった。実験に参加した参加者たちが自分自身の考えに従って行動し、相手の行動を考慮しなかったからだ。

マーケットの予測可能性

相場が予測可能であるか否かという問題は、投機トレーダーの間で最も大きな議論のひとつであったし、今後もあり続けるだろう。トレーダーたちは相場が予測可能であるか否か、そしてその方法について議論し続けるだろう。トレーダーの絶対多数は予測を行っているため、相場は予測可能であるという結論でおおかたまとまる公算が高い。トレーダーに独自の分析や予測サービスを提供・販売しているマーケットアナリストも大勢いる。その事実は予測が可能であるという議論に有利に働くだろう。同時に、「相場はファンダメンタルな経済的・政治的な現実と頻繁に矛盾して動く」と仲間のトレーダーたちがぼやくのをいつも耳にしている。

経済的・政治的変化に基づきマーケットの反応を推測することは、コイン投げで決めた場合よりも良い結果が得られるわけではなく、もっと悪いかもしれない。同様に、多くのトレーダーがテクニカル分析だけに基づき相場の未来を予測しようとしているが、結果はほとんど同じだ。同時に、ファンダメンタルな性質の出来事や要因が相場の主たる推進力であるのに、それらを無視すべきだと主張するのも間違いだ。出来事とその出来事の結果との関係が調和しない基本的な理由は、ファンダメンタル要因がマーケットに直接影響を与えるのではなく、市場参加者の意識を介して反映されているためであるように思う。

いわゆる「相場の間違った動き」の原因として考えられる3つの要素を以下に示す。

1．同じファンダメンタル要因でもトレーダーによって解釈が異なる。
2．市場参加者によってその意図も、トレードを行う理由も、目的も異なる。理由としては、ヘッジング、国際商業プロジェクトの資金としての外貨購入、または投機利益の追求などが考えられる。

3．相場はさまざまなファンダメンタルズと相反する力による影響を同時に受けているため、最終的な反応には多様性があり、相場の変動を引き起こし、ファンダメンタルな出来事やプロセスに期待されている反応と一致しないことがある。

マーケットの予測不可能性やファンダメンタルズとのズレについては、私独自の説明がある。

トレーダーたちが抱いている先入観とは異なり、主要な市場参加者たち――FX投機取引に参加している銀行やほかの金融機関――は特別な存在などでは断じてない。大口の参加者は、初心者のような弱きをくじき、小口投機家たちから金を巻き上げる、やまたのおろちではない。市場で大きな資金を動かし、その取引が相場を動かす（ひいては為替レートを大きく変動させる）のは事実だが、ごく普通の人たちだ。その資金は普通の弱みを持った普通の人たちが運用している。未来を見通す特殊能力を持っているわけでもなく、ときにはとんでもないミスや致命的な過ちを犯すこともある。過去に起こったベアリングス銀行、ロング・ターム・キャピタル・マネジメント（LTCM）、タイガーファンドなどの金融世界の巨鯨たちの破綻は、トレーダーの過ちによって致命的な結果に至り、盤石だと目されていた金融機関が崩壊してしまった例だ。

相場の何らかの動きが、このような誤った取引によって誘発されている可能性は確かにある。数年前、機関投資家のトレーダーの平均キャリアが４年から５年だという興味深い統計を目にした。その後はトレードとは無関係の高い地位につくか、あるいはキャリアをまったく変えてしまう。そんなに短い期間で真のプロになるのは不可能だ。だから、マーケットにはそういう生半可なトレーダーがたくさんいて、説明しにくい変動を引き起こし、多様な結果をもたらしているのだ、という結論に至った。

マーケットの扱い方

マーケットに対する正しい姿勢を身につけるには、心理的トレーニングにある程度の時間と努力を費やすことが必要だ。トレーダーになろうと決心するまでの人生経験はこの新しい職業ではまったく役に立たず、場合によっては有害であるという事実を受け入れる必要がある。それが心理的準備の最初でかつ最も重要なステップになるはずだ。あなたが（正常な精神を有し、刺激に対して標準的な反応をする）普通の人間の部類に属するとしたら、マーケットという条件のなかでは、経験もいわゆる常識で考える能力も役には立たないだろう。標準的な考え方は、あなたを自動的にあなたとまったく同じように考える大多数のひとりにしてしまう。残念ながら、マーケットの仕組みからして、大勢に従うたびに、あなたは確実に負けることになる。

常識のレベルでクリアであり、シンプルかつ論理的な説明は存在するが、コモンセンスに関連するものすべてが想像しているほどシンプルというわけではない。私やあなたを含め、だれでも常識を備えていると仮定されている。しかし、私たちが常識と呼ぶものは幻想であり、単純化であり、常識とは直接関係のない「政治的正義（political correctiness)」であることが多い。幻想と政治的正義という建前は、社会で暮らし、ほかの人たちと折り合っていくには役に立つが、マーケットでのトレードでは、長期的にはマイナスに働くことになる。

マーケットの大多数のトレーダーは常に間違っており、相場の未来に関するほとんどの一般的かつ広く認められている見方は（大多数のケースで）間違っている。大勢による結論や選択は常に間違っており、投機トレードでは損失につながる。失敗を避けるために、初心者は次の３つの基本的な前提を頭にたたき込んでおくべきだろう。

1．将来の相場の動きに関して意見を持たないようにする。自分のトレードシステムとマーケット自体が発するシグナルだけを頼りにトレードする。
2．希望的解釈を避けるようにする。未決済ポジションを保有している場合、何よりもまず、自分の見方を確認するシグナルではなく、自分の見方に反するトレードシグナルに注意を払う。
3．ほかのトレーダーの意見に真摯に耳を傾ける。インターネットのフォーラムや個人的な会話を通じて自分のアイデアを仲間と共有する。仲間のトレーダーの半分があなたのアイデアを認めたら、警戒心を２倍にする。状況をもう一度確認し、分析し、間違いがないか検討する。絶対多数のトレーダーがあなたの見方に「賛成」していたら、そのトレードプランは直ちに放棄し、新しいプランを作成する。新しいプランでは、相場が反対方向へ動く可能性が高いことを仮定しなければならない。マーケットにおける現在の出来事に関するあなたの意見に大多数が「反対」していることは、あなたのポジションの正しさを裏づける追加の材料だ。その裏づけはあなたの判断の正しさに対する信頼性をさらに高めるはずだ。

トレーダーが下すべき基本的な結論は「マーケットは予測不能だから、予測しても割に合わない」ということでなければならない。予測をしないこと、ひいては意見を持たないことはトレーダーの発想にプラスの影響を与える。このやり方によってトレーダーは過ちを認めること、そして過ちを認めることから生じるストレスと落胆を経験する必要性から解放される。

この基本的な結論に加えて、人間の心理がトレーダーの作業にマイナスの影響を与えないよう、トレーダーのあるべき考え方に関していくつかアドバイスしよう。

マーケットに関して

●ほかの分野における経験、発想、能力、成功は、いずれもトレーダーとしての成功を保証するものではない
●いわゆる常識はマーケットの投機取引では役に立たない
●マーケットに関してあなたが想定しているほぼすべてのことは現実と対応していない
●大多数の市場参加者が明白だと考えていることすべてが実際にはまったく明白ではない
●マーケットの状況がトレーダーにとって明白であればあるほど、その先の展開はそれだけサプライズになる
●マーケットは常に大多数の見方を裏切る
●過去において未来を予知する能力がなかったのなら、マーケットの将来の動向を正確に予測できるなどと幻想を抱いてはならない
●マーケットは最も容易に予測できる価格水準にさえも、最も意外な形で到達する
●マーケットにおける出来事は常に最もありそうにないシナリオで展開し、あなたの期待にも、ほかの参加者の見方や予測とも絶対に一致しない
●マーケットの将来の動きを予測しようとすること、それは何よりも脳トレになる。だがその予測に基づきトレードしては絶対にならない。その目的にはほかのツールが必要だ
●マーケットのすべての動きには適切な説明がある。だがその理由が分かるときは常に遅すぎる
●マーケットは理解も、説明も、予測することもできない自然現象と心得よ

利益に関して

- ●マーケットは慈善団体ではなく、いかなる参加者に対しても利益を保証することはない
- ●トレーダーが受け取る利益は無から生じているのではなく、だれかの損失から生じている
- ●マーケットが成り立つのは、少数派の利益のために多数派が常に犠牲になることで資金の再配分が起こるからだ
- ●どんなポジションでも損失に終わる可能性はある
- ●マーケットでトレードする場合、何事についても100％の確信を持ってはならない

初心者の個人トレーダーに対するアドバイス

取引口座は金儲けのためのツールであり、お金そのものではないことを正確かつ完全に認識すべきだ。お金を取引口座に入れた瞬間から、支払いの普遍的な手段としてのお金が有する通常の機能は失われる。そのお金は新しい自動車と交換したり、その他の楽しみを実現する能力を象徴していない。その瞬間から、そのお金はお金（こっちはすべての属性を備えた本物のお金）を稼ぐためのツールでしかなくなる。

このようなマーケットに対する姿勢を身につけることができれば、トレードが、大きなストレスのない、ごく普通の日常的なビジネスに変わるはずだ。

トレードの規律

トレードでは必ず規律を貫くこと。規律を守らなければ、トレードは不可能であり、本書から学ぶ知識もまったく無意味になる。十分な力と規律を身につけ、これから説明するすべての厳格なルールに従う気がないなら、このビジネスはあきらめたほうが身のためだ。ここでこのビジネスを断念したとしても、本書を読んだことは無駄にならない。なぜなら、その決断は時間とお金を大きく節約することになるからだ。

Part 4

イグロックメソッドによる短期トレードとデイトレードの戦略

Short-term and Intraday Trading Strategies Using the Igrok Method

デイトレード――ポジションが１日（24時間）以内に建てられ手仕舞われる取引――はきわめて複雑な種類のひとつと考えるべきトレードだが、個人トレーダーの間では広く浸透している。トレーダーに人気がある理由は、いくつかの主観的な理由によって説明できる。それは、小口の資金に大きなレバレッジをかける証拠金取引によって投資効率を最大限に高めるというトレーダーの願望にマッチしているからかもしれない（前述したように「デイトレード」という呼び方は不自然に思われる。なぜなら、FX市場は週５日１日24時間開いており、たとえどんな思惑で建てたポジションだとしても、１日以内に手仕舞わなければならない理由などあり得ないからだ。だから、私が「短期トレード」というとき、数分間から数日間のポジションを意味する）。

短期トレードは、結果が大きな幅の――ときには１日の平均値幅にも匹敵する――マーケットノイズに大きく影響を受けるため、かなり難しいトレードと考えられている。現実として、すべての短期トレードはマーケットノイズを利用して行われており、数ピップスから200ピップス程度の小幅・中幅の変動をとらえることがトレーダーの仕事になっている。

デイトレードの優位性は明白だ。何よりもまず、日中にたくさんのポジションを建て、きわめて狭いストップを置くことによって、小口の資金を有効に活用できる。収益性についても、常にというわけにはいかないが、長期トレードよりも儲けられる可能性がある。デイトレードの優位性を思い切り簡単にいえばそういうことだ。

デイトレードに共通するその他の特徴はすべてマイナスイメージだといえる。リスクが大きい、仕事量が多い、拘束時間が長い、常にストレスを受けている、慢性的な疲労感などがFXデイトレードの特徴だ。デイトレードをやるには、素早い反応、絶対的な規律、冷静沈着さ、切れない忍耐力が必要になる。だが、成功の真の鍵は、限定された時間と限定された相場空間（値幅）という制約のもとで最適な判断を下すことを可能にする、この種のトレードのために特に開発された効果的で信頼性の高いトレードテクニックにある。

第13章

デイトレードプランの原則

Principles of the Intraday Trading Plan

いかなるトレードもプランの作成から始めなければならない。プランなしにトレードはできない。個々のトレードに関してプランを練ることは重要だ。プランによってマイナスのストレス要因を減らしたり、ときには完全に排除することができる。時間的に制約された状況で重要な判断を行うと過ちを犯す確率が指数級数的に増大するため、そのような事態にならないように事前にプランを練っておかなければならない。プランはデイトレードにも絶対に必要だ。プランがなければ究極的な成功は望めない。

通貨ペアの選択に加えて、デイトレードのプランには４つの基本的な項目が含まれる。その判断を事前に行っておかなければならない。トレーダーは以下の４項目について決めておく必要がある。

1．どこでロングまたはショートで入るか
2．どこで損切るか（ストップ注文の置き場所）
3．どこで利食うか
4．ストップが執行された場合に反対方向に新規ポジションを建てる（ドテンする）か否か

トレードを開始する前にこれら４つの質問すべてに答えを用意して

おくことが理想的なプランだ。もっとも、実際のマーケットでは必ずしもプランどおりにいかないこともある。マーケットの状況は常に変化するため、最初のプランにある程度の調整が必要になることが多い。すべての起こりうる状況を事前に予期することはほぼ不可能であるし、トレードプランのそれぞれの項目の重要性も同等ではない。

そのため、私は２つの主なルールに従っている。

1. 少なくとも最初の２つの項目を決めていなければトレードを始めない。そのうちの１つでも欠けていたらトレードを開始しない。
2. 当初プランの修正は、あくまで事前に設定した基本的なトレード戦略の枠組みのなかでのみ行う。例えば、プランのいくつかの細かい点は変更しても構わないが、プランがすでに実際に走り出していれば、私は変更しない。

前述の４項目を使用したトレードプランの作成順序は、次に説明する優先順位に従って行わなければならない（当初のトレードプランにおける項目３と４の重要性は比較的低いと考えることができる）。

ストップ設定のルールとテクニック

ストップ（損切り）水準は「相場が動く方向は２つしかない」というイグロックメソッドの原則のひとつに従って決定しなければならない。つまり、ストップは、ポジションと逆方向への動きが継続する確率が急上昇するポイントにのみ置くべきであり、ロングポジションを損切りするためのストップは、相場がショートポジションを建てるシグナルを発するポイントに置くべきだ。逆のシナリオの場合にも同じことが当てはまる。こうした理由から、私の戦略では、大多数のケースで、負けポジションを損切るのと同時に反対方向に新規ポジションを建てている。

何らかの理由でストップを置く水準を事前に決めることができないときは、そもそもポジションを建てる価値がない。そういう状況は私も頻繁に経験している。問題が起こるのは、その時点の相場と逆方向にポジションを建てようとするときだ。その問題を解決するために、私はマネーマネジメント原則を適用し、こういうルールを追加している。現行の水準から十分に近い場所にストップを置ける水準を見つけられない場合は、すべての必要な要素が整うまでトレードを避ける、ということだ（ここではデイトレードの話をしているので、十分な近さとは20ピップスからその時点における所定の通貨ペアの平均値幅までの距離と考えることができる）。

テクニカル的に重要な水準、つまりサポート、レジスタンス、トレンドラインなどに合わせてストップを置くことが必須条件になる。ストップはポジションとは逆方向の動きが継続する確率が急上昇するポイントにだけ置くべきだ。

私の知るかぎり、多くのトレーダーはマネーマネジメントだけを考えてストップを置いているようだ。その場合、ストップはポジションの仕掛け値から30～50ピップス以内などの一定の幅で置く。トレーダーによっては１回のトレードでの許容損失に当たる一定の金額を想定している。トレンドライン、サポート、またはレジスタンスなどの（近くにストップが置かれることの多い）テクニカル水準を考慮に入れていない。そんなやり方ではきわめて不適切なタイミングでストップが執行されることになり、利益が見込まれる有望なポジションが手仕舞われ、損失を被ることが頻繁に発生する。

そんな状況を避けるために、私が従っているルールがもうひとつある。マネーマネジメントだけの理由でストップの置き場所を決めない、ということだ。ストップの置き場所は常に特定のテクニカル水準に合わせて行わなければならない。最も近い適切なテクニカル水準が１回のトレードでの許容損失を超えた位置にあるなら、相場が適切な水準に十分に近づくまでトレードは避けるべきだ。

ときには、相場反転の瞬間をとらえるために、その時点の相場とは逆の方向にポジションを建てる必要があるかもしれない。そのためには、天井や底と想定されるポイント近くでポジションを建てる必要があるが、高い精度で行うことは至難の業だ。そんなときは、私が「後置きストップ（postponed stop）」と呼ぶテクニックを使用できる。後置きストップは、特定の価格水準ではなく、特定の時間に合わせられる。１日の終わり、特定の市場タイムの終わり、相場が新たに明確なテクニカル水準に到達する瞬間などと結びつけられることが多い。その新たな水準が、新しいストップを置くことができるような、新たな天井や底になる可能性がある場合は特にそうだ。だが、その場合でも、過大な損失を防ぐために、想定されるレンジの外、つまりその時点では達し得ないと考えられる水準にセーフティーストップを置く必要がある。私は仕掛け値から100～150ピップスの範囲内に置くことにしている。セーフティストップも特定のテクニカル水準に置かなければならない。後置きストップが無効になり、ストップを置く適切なテクニカル水準が見つかれば、セーフティストップはキャンセルする。

ストップはいかなる状況でもキャンセルすべきでないし、ストップを使わずにトレードを行うべきではない。ストップは必要に応じて動かすことができる。ただし、一方向、仕掛け値の近くへだ。その時点で乗っている評価利益を守るためにトレーリングストップを使うこともできる。ストップを動かすときは、必ず新しいストップを置いてから前のストップをキャンセルすることだ。

第 14 章

仕掛け

Entering the Market

新規ポジションの建て方は、事前のトレードプランにおいて２番目に重要な事項だ。新規ポジションを建て、相場に入るためのルールは数々あるが、これに厳密に従うことが必要だ。ここではデイトレードの話をしているので、仕掛けポイントの選択はとりわけ重要かつ難しい作業になる。なぜなら、時間が１日に限定され、空間が通貨ペアの平均値幅に限定されているからだ。まず、デイトレードでは、すべてのトレード活動がマーケットノイズだけを対象にしているという事実を常に忘れずに考慮しなければならない。つまり、個々のトレードの結果は、相場のカジュアルな動き、そして１日の平均値幅に比べてかなり大きなカオス的変動によって大きく影響を受ける。そのため、デイトレードに適用でき、かつ適用すべき戦術は「ヒットエンドラン」テクニックということになる。

仕掛けポイントの選び方

仕掛けポイントの選択は、事前にトレーダーが設定したクリティカルな水準に相場が近づいたことを知らせるテクニカルシグナルに基づき行わなければならない。このルールでは、新規ポジションの仕掛けポイントは、その時点でクリティカルであると判断するテクニカル水

図14.1「サポートの手前で買い、レジスタンスの手前で売れ」は有名な相場の格言だ

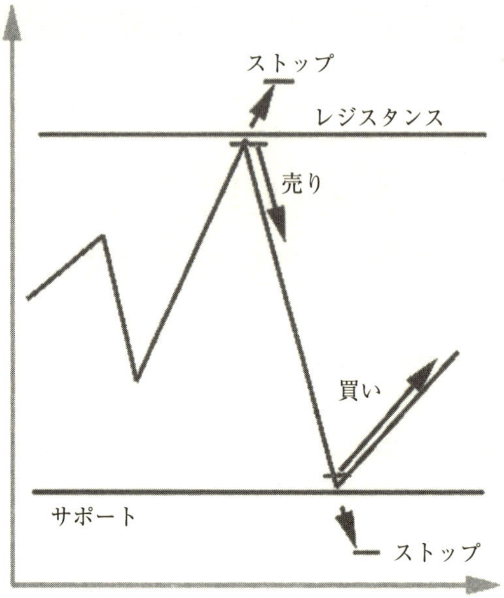

準のできるだけ近くに定めなければならない。

チャート上に描かれた各種ライン（サポート、レジスタンス、トレンドライン、または何らかのフォーメーションの境界線など）は、クリティカルな水準とみなさなければならない。ときには、狭い価格レンジをクリティカルなゾーンと定義することもできる。それよりも上では買いシグナル、それよりも下では売りシグナルが出る。ロングポジションはサポートよりも上、ショートポジションはレジスタンスよりも下で仕掛けなければならない（**図14.1**を参照）。仕掛けたら、ストップをそのラインの反対側に置かなければならない。そうすると、相場空間が２つに分けられる（ラインよりも下ではショートポジション、ラインよりも上ではロングが望ましい）。

新規ポジションの仕掛け値は、その時点でクリティカルと考えるテクニカル水準のできるだけ近くでなければならない。

仕掛けのタイミングに関するルール

仕掛けのタイミングについて私が守っているルールは６つある。

1．新規ポジションを建てる決断をしてから実際に注文を出すまでに一定の時間を空けること。その時間は決断を考え直し、必要ならばトレードをやめる機会をトレーダーに与える。また、十分に考え抜かれていない衝動的な判断を防ぐこともできる。

この方法なら、衝動的に不適切な判断を下す心配がなくなる。多くの気苦労とお金を節約することになるはずだ。時間としては数分間から数時間の幅が考えられる。前述したように、新規ポジションに対するプロテクティブストップの水準と条件が決定するまでトレードを行うことはできない。その時間は、トレードプランを見直し、必要ならばそれに修正を加える機会を与える。ときには、その時間中に当初のプランが根本的に変更されたり、完全に破棄されることもある。

同日中に同一価格水準で反対方向のポジションを建てる機会が現れることがよくある。そういう逆方法で仕掛ける機会は、相場がひとつのトレードシグナルを完全に遂行したあとに生まれることが多い（図14.2を参照）。

2．一般的に（現行の相場の方向で建てられている）すべてのポジションは、統計的に負けトレードになるよりも勝ちトレードになる確率のほうが高い。その勝率は、相場の活況度が特に高く、相場の速度が特に速いときに仕掛ければさらに高まる。

図14.2　レジスタンスをブレイクしたときにロングで入る前に、ショートで儲ける機会がある

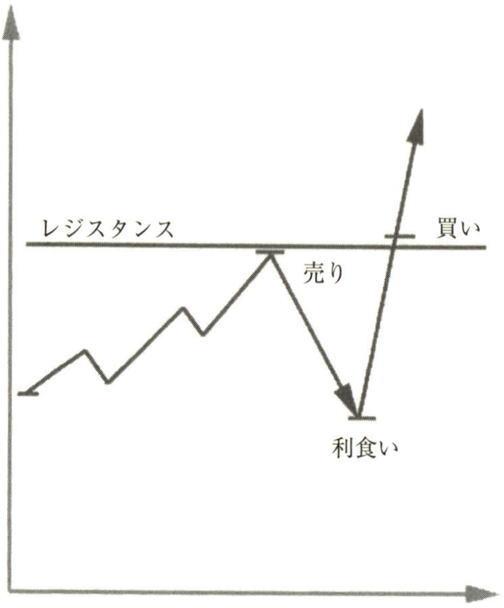

これは最も保守的で最も安全なトレード戦術だ。このような手法は平均期待利益を低下させるように思えるが、統計的には、負けトレードに対する勝ちトレードの優位性を高めている。ストレスがきわめて少ない戦術だと考えることもできる。なぜなら、ほとんどの場合、ポジションを建てたほぼ直後にある程度利益が生まれるからだ。

私は圧倒的多数（75～80％）の新規ポジションをその時点の相場の方向で建てている。ほとんどの勝ちトレードが、その時点の相場方向で建てることによって達成されていることが統計的に明らかになっている。新規ポジションは相場の方向でのみ建てるというルールを守れば、負けトレードに対する勝ちトレードの統計的優位性は大きなものになると確信している。

ほとんどのトレードを事前に計画することでトレードの快適性は高

まる。プランに従って目的の価格水準でポジションを自動的に建てることができる。相場をずっと監視している必要もなく、私はほとんどの場合、初期ポジションを建てるときは指値注文か仕掛けのストップ注文を使用している。外出する用事もなく、相場を見ていられる場合でもそうしている。このトレードテクニックにはいくつかの利点がある。

- 何よりもまず、時間の節約になる。プランに従って仕掛けの指値注文が執行されたら、同時にプロテクティブストップを置く。ドテンを計画していなければ、そのあとは何も心配することも、値動きを注視している必要もない。
- 仕掛けのストップ注文でポジションを建てる場合、私がすべきことはアラームを設定することだけだ。ストップ注文が執行されたことをコンピューターが知らせてくれたらプロテクティブストップを置く。その後はやはり何も心配することはなく、相場を注視する以外のことに時間を費やすことができる。
- 自動的に仕掛けさせれば気も楽だし、いつでも自分が状況をコントロールしているという気持ちでいられる。仕掛ける価格も、相場が思惑と逆に動いたらあきらめる価格も、自分で選ぶので、自分がトレードのプロセスを仕切っているという感覚が得られる。何らかの理由で、相場が自分の予測した水準に達しなかったら、それは相場自体の問題であり、相場に入るだけの良いトレードシグナルや価格がなかったものと考える。
- 自動的に注文を出させることで、最初に計画したとおりの価格で仕掛け・手仕舞いすることができ、トレードプランを何度も練り直す必要がなくなる。仕掛けのストップ注文でポジションを建てれば、相場がいくら速く動いても逃すことがない。
- このようなテクニックによって、マネーマネジメントの要件も満たされ、考え得る損失を事前に計算することも可能になる。

私は85～90％のポジションをこのテクニックを使用しながら、そのほとんどをその時点の相場の方向で建てている。

3．トレードプランに従って、その時点の相場とは逆の方向に建てなければならない場合は、相場の活況度が最も低く、動きが最も遅いときに行ったほうがよい。

多くのトレーダーは、相場が反転する瞬間をとらえることを主な基本戦術に置いていたせいで失敗し、このビジネスから永久に去ることを強いられている。トレンドや相場の方向の転換時を正確にとらえることは、とりわけ短期トレードの場合、かぎりなく難しい。長期トレードではその難度は多少下がるように思えるし、場合によっては成功することもあり得る。イグロックメソッドを使用すれば比較的高い精度で天井や底に近い価格をとらえることができることが多いが、少しでも高い利益を得ようとするよりも、安全な方法で、ある程度の利益を得ようとする場合のほうがうまくいく。

トレンドは高いモメンタムと慣性を備えているため、反転には長い時間がかかるのが普通だ。そのため、相場が多少落ち着き、それ以上同じ方向に動くことがないというサインを発している場合にだけ、直近もしくは現行の相場と逆の方向でポジションを建てることが可能だ。相場の速度がかなり低下し、相場が横ばいになっていれば、新規ポジションを建てるチャンスだ。相場が一定期間にわたり動きを止めていて、新しい局所的な天井や底が形成されていなければ、反対方向で新規ポジションを建てることを考えてもいい。詳細については本書のテンプレートのところで説明する。

4．最も効果的なトレード戦術とは、当日に最も可能性の高い方向で

のみ新規ポジションを建てることを前提とした戦術だ。主な動きがリトレースすることを前提にトレードプランを立てては絶対にならない。また、相場がすでにその方向を決定しているのに、その方向と逆の新規ポジションを建てることは危険だ。１日（24時間）の終わりまでの残り時間が少ないほど、当日の主要な方向が突然反転する可能性は低くなる。

このアドバイスも、イグロックメソッドの発想の原点に直結している。何よりもまず、相場は針が同じ幅と速度で上下する裁縫用のミシンではない。相場が十分に活発であれば、基本的な方向性がかなりはっきりしているのが普通だ。

統計的に見れば、反転が起こる前には相場が迷う期間が存在する。トレーダーはその期間を利用して利益が乗っているポジションを手仕舞ったり、反対方向で新規ポジションを建てることができる。だがそうなるのは、相場が当日のメジャートレンドの方向性をまだ決めておらず、当日のレンジの形成を終わっていない場合だけだ。また、相場が反転し、確立したレンジの反対側へ動き始めるにはある程度の時間を要する。当日の終了時（クローズ）まであまり時間が残っておらず、１日の平均値幅がまだ形成されていない場合は特にそうだ。そのため、新規のデイトレードのポジションを建てる場合は、ルールの５と６を守ったほうがよい。

５．１日の序盤やアジアタイム中、米ドルに対する欧州通貨の新規ポジションは建てない。

このルールは、欧州通貨の動きが活発化し始めるのは欧州開場後であることが多いという事実にも関係している。アジアタイム中、米ドルやその他の非アジア通貨に対する欧州通貨は活気がなく、ほとんどの時間は狭いレンジで、狭い横ばいの動きに終始する典型的な相場の動きを示している。このルールにはまれに例外がある。狭いストップ（20～40ピップス）の安全なショートポジションを建て、欧州タイムの開始前に手仕舞いすることを考える場合だ。その状況は頻繁には起こらないし、そういうトレードをたびたびしようとは思っていない。私がまったく未熟な新人で、ストップなしにトレードしていたころから、手っ取り早く儲けようと狙っていたトレードほど長く保有するはめになったことをよく覚えている。だから、私の生徒（特に初心者）にこのトレードは推奨しておらず、本書でこのテクニックについて説明する予定もない。

もうひとつの例外は、アジアタイム中、欧州通貨のレートがあるクリティカルな水準に達した場合に起こる。その水準は、日足、週足、月足などの長期チャートを分析することで定義できる。そのような状況が起こるのはきわめてまれであるとはいえ、受け取ったシグナルに対しては反応することが必要だ。

6．ニューヨークタイムの開始後、特に欧州タイムの終了後には、当日の主要な相場の動きに逆らって新規ポジションを建てない。

１日の主要な動きがどこを向いているか決めることはさほど難しいことではない。ほとんどの場合、欧州タイムの終了時にはチャート上ではっきりと見て取ることができる。当日オープンから時間をかけて、日中トレンドがはっきりと形成され、日中レンジが拡大しているはずだ。

ある程度のリスクを受け入れ、ニューヨークタイム中に当日の主要な動きに逆らって新規ポジションを建てることができる唯一のケースは以下のとおりだ。

●相場が主要サポートや主要レジスタンスなどの主要テクニカル水準に到達している。その水準は日中チャートだけでなく、少なくとも日足チャート上でも容易に識別できることが必要だ。
●その主要なテクニカル水準に到達したとき、当日の値幅がその通貨ペアの典型的な平均値幅をすでに超えている。
●要人の発言や何らかの材料に対して市場が衝動的に反応した結果として当日の主要な動きが形成されている。

これら条件が満たされたとき、直近の天井や底、主要サポート、または主要レジスタンスの外側にストップを置いたカウンタートレード（逆張り）の可能性がある。だが、このような状況で儲けることができる確率はおおむね50％未満だ。

第 15 章

手仕舞い

Exiting the Market

ポジションの手仕舞いと利益確定

イグロックメソッドでは、利益が乗っているポジションの手仕舞いと利益確定のために使用している方法がいくつかある。実際の相場状況でどの方法を選択するかはその時点のテクニカルな状況、トレードシグナルの有無、タイミング、相場のスピード、それまでの変動の幅とシーケンス、短期と中期トレンドの方向などに依存する。さまざまな要因のあらゆる組み合わせについてひとつひとつ説明することはとうてい不可能だ。ここでは、利益が乗っているポジションを手仕舞いし、利益確定の方法とタイミングに関するいくつかの一般的なコツだけを説明しよう。

反対方向の仕掛けシグナルを受け取ったら利益確定

一見、これは理想的な取引手法であると思われることが多いかもしれない。この方法は、ロングからショートへポジションを切り替え、利益と損失を取り、毎回反対方法へドテンすることで相場に永久に居続けることを可能にするように見える。だが、百万の明白な理由から、とりわけデイトレードの場合、そのようなシナリオは絶対に不可能だ。

週５日１日24時間相場を監視し続けることが物理的に不可能であることや、トレード数を増やせば利益が減るという理由を除いたとしても、日中のすべての変動をとらえようというのは道理にかなわない。例えば、限定された時間枠と相場空間のなかで対応する必要があるデイトレードの場合、ヒットエンドラン戦術が最も適切かつ効果的であると考えられる。この戦術では、利食いをし、反対方向にポジションを建てるシグナルを待つことになるが、評価利益をリスクにさらすことなしにドテンの機会を得ることはできない。

１日の平均値幅は、最もボラティリティの高い活発な通貨ペアでも、180から200ピップスを超えることはまずない。また、デイトレードのポジションの寿命が数時間――場合によっては数分間――を超えることはまれだ。また、１日のレンジを完成したあとにそのレンジ内に24時間とどまるということは、相場がそのレンジ内の同じ水準を何回も行き来する必要があることは明らかだ。つまり、１日のなかで同じ価格水準で反対方向で入る機会が現れる可能性が高いため、トレードシグナルに基づく利食いがさほど効果的な戦略であるとは考えられない、という結論を下すことができる。このルールにはもちろんいくつかの例外がある。前述の戦術は、日中に相場が主要な長期トレンドライン、サポート、レジスタンスなど、さまざまなフォーメーションの境界線に近づいた場合に使用できると考える。その状態は日足以上の長期チャート上で識別できる。その場合、利益が乗っているポジションを手仕舞いするだけではなく、同じ価格で反対方向に新規ポジションを建てる機会も得られる。

相場の速度と活況度が低下したら利益確定

この基準も利食いのシグナルとしても使用できる。残念ながら、実際には、相場活動の減少が反転の兆しを意味するのか、それともある

図15.1　天に水平面が描かれている

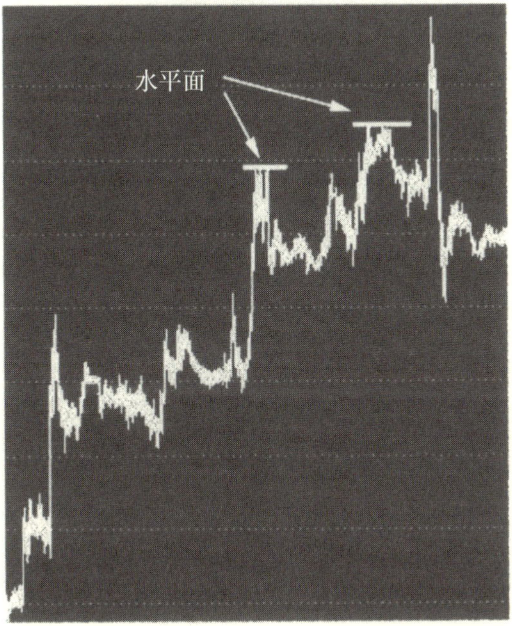

程度の迷いと横ばい状態を経て、また元の動きを続けるのかを正確に見極めることは必ずしも可能ではない。とはいえ、マーケットの意図をさらに見極めるために役立つ可能性のあるいつくかのサインが存在する。何よりも、反転が一瞬にして起こることはまずない。動きが反対方向へ変わるにはある程度の時間がかかるものだ。また、本当の天底に到達したときは、それが日中ベースで見られる局所的なものであっても、急傾斜の天底（Vフォーメーション）を形成するのが普通だ。だから、相場が急傾斜の大天井または大底を付け、しばらく調整して横ばいに推移したら、利食いを考えるべきサインかもしれない。レンジの天井や底に水平面が形成されれば、その動きが続くか、少なくとも同じ方向にある程度伸びる可能性は高いだろう（**図15.1**を参照）。

デイトレードの場合、動きの停止が最終的なものであるか否かを見

図15.2　天井を付けるまでが4本、天井圏で足が6本、利食い時だ

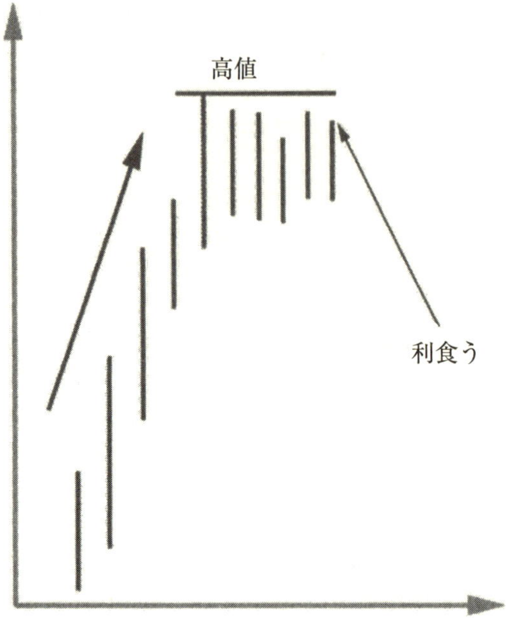

極めるには、５分足から15分足までの短期チャートで見なければならない。手持ちのポジションに評価益が乗っていて、直近の天井や底が水平面を形成しているのなら、利食いはしばらく待ったほうがいい。相場が長い間止まっていたあとに動き続けた期間と等しい時間内に新高値（または新安値）を付けないなら、そのポジションを手仕舞いし、利益を確定したほうがよい。この基準を実際のトレードに適用するのはきわめて簡単だ。必要なことは５分足の日中チャートで足の本数を数えるだけだ。相場が直近の天底を付けたあとの足の本数が、直近の波を形成するために要した足の本数を超えたら、それが手仕舞い時だ（**図15.2**を参照）。

タイミングに基づく利益確定

相場にはそれぞれ独自の活動サイクルがあるため、これは最も単純かつ合理的な利食い方法のひとつだ。サイクルは時の経過とともに変化するが、ある程度見ていれば簡単に見極めることができる。１日の特定の時間帯に天底を付けることに基づいて識別できるサイクルもある。そのようなパターンがはっきりと確認されれば、最も有利な価格の近辺でポジションを手仕舞いできるだけでなく、反対方向に別のポジションを建てる機会も得られる。

タイミングに関連するもうひとつの選択肢は、特定の時点――例えば欧州タイム終了の30～40分前――での利食いだ。当日の主な動きに対する調整が始まったとき、またはニューヨークタイム終了直前の１日の最後の最後で行う。

１日の値幅に基づく利益確定

これも（少なくとも統計的には）かなりうまく機能し、道理にもかなっている方法だ。例えば直近２～３カ月の平均値幅を計算することで、１日の値幅がどうなるのかを簡単に予測することができる。そのため、相場がその平均値幅を達成して１日のノルマを完全にやり終えたら、ポジションを手仕舞いし、利益を確定することができるかもしれない。このやり方は、相場がすでに１日の値幅を形成し終えたあとに（周期的な変動に対する）タイミングも考慮に入れてポジションを建てた場合に成功することが多い。

このように利が乗っているポジションの手仕舞い方法はさまざまあるが、（たとえおおまかにでも）個々のトレードの時間枠を事前に計画しておく必要があることも覚えておくことが大切だ。相場の劇的な変化によって練り直しが必要にならないかぎり、最初から最後まで最初に立てたプランに従ったほうがいい。

手仕舞いと同時にドテン

ポジションを手仕舞いするのと同時に反対方向に新規ポジションを建てることは、私がよく使用する方法だ。ほとんどの場合、含み損を抱えているポジションの手仕舞い時に行うが、含み益が乗っているポジションの手仕舞い時にドテンすることもある。これら２つのケースには基本的な違いがあり、それぞれ別のものとして考えたほうがいい。

含み損を抱えているポジションの手仕舞いと同時にドテン

ポジションを手仕舞いするのと同時に反対方向に新規ポジションを建てることは私にとってきわめて当然の行為だ。躊躇する必要があるだろうか？　思惑が外れて、私がトレードプランを立てたときに考えていたように相場が動かなかった。だが、相場は動かなければならず、その方向は２つしかない。だから私は躊躇しない。ストップが執行されたら指をくわえて見ているのではなく、相場に沿ってポジションを建てたほうがいい。私は相場の将来の動きとその方向に関して意見を持たないようにしているので、ポジションを手仕舞いすると同時に反対方向にポジションを建てることに何らストレスを感じない。相場が反対方向を選ぶという確認があり、どちらの方向でトレードしても儲けられる可能性があるというのに、躊躇する必要があるだろうか？
当初のプランで考えていた方向に相場が動かないことが確認されたら、ドテンして儲けようと考えるほうがずっと理にかなっている。その場合、新規ポジションはストップが執行された瞬間に自動的に建てるのが普通だ。唯一の問題は、ドテンを当初のトレードプランに必ず含めるべきか否かだ。前述したストップを置く場合のルールのように、ドテンも同様な戦術を使用して実施する必要がある。だが、ドテンを決断するには、想定される問題や混乱を避けるために、特定の条件や前提が満たされることが必要だ。また、リスクが高すぎるためにドテンを推奨できないケースもある。

以下の要素が存在する場合は、ドテンをお勧めできる。

●中期チャート上と長期チャート上で主要テクニカル水準のブレイクが識別できる
●狭いストップを置く機会が存在し、リスクが、損失が発生した場合の安全水準を超えない
●相場が活発で、スピードが速い
●１日の値幅が拡大している
●新規ポジションの方向ではっきりとした中期トレンドが存在する

以下の状況では、ドテンはリスクが高く、得策ではないと考えられる。

●相場の活動とスピードが遅い
●ドテンする方向が当日の主な方向と逆になる
●当日の終了時（クローズ）までの残り時間が２時間を切っている
●すでに１日の平均値幅以上の値幅を形成している
●ドテンのポイントが重要なテクニカル水準と重なっていない
●ストップを置くのに適した最も近いテクニカル水準が遠くて許容範囲外にある

これらは一般的な理由であり、厳密なルールではなく、判断はそれぞれの状況に応じて下さなければならない。ある程度の予備的な分析といくつかの考えられるバリエーションの検討も行う必要がある。いずれにしても、ポジションをドテンする決定は事前に行わなければな

らず、最初のポジションを建てるときに作成した全体的なトレードプランに含まれていなければならない。ドテンは、最初のポジションが手仕舞いされるストップを置くのと同じ水準に設定するのがベストだ。

ドテン時に取引サイズを２倍に増やす

私はこの方法を使うことはめったにないが、頻繁に使用しているトレーダーが多いことは確かだ。多くの場合、このような行為に実利的な合理性はないと思われる。どちらかといえば、単純な強欲心や、できるだけ速く損失を取り戻したいという願望が動機になっている。それ以上に（このやり方がトレーダーが使用しているメカニカルなトレードシステムに組み込まれていない場合）取引サイズを増やすことはトレーダーの日常的な習慣というよりも心理に関係している。過ちやプロ意識の欠如を、ドテン時に取引サイズを増やすという純粋にメカニカルな措置によってつじつま合わせをしようとすべきではないと思う。なぜなら、取引サイズを増やせばリスクも増大するからだ。

１日のうちに（例えば、値動きが乏しいために）何回も連続して損失を出した場合、取引サイズを増やすと取引口座に深刻な損害を与える可能性がある。だから、きわめて狭いストップを置くことができる場合にだけドテン時に取引サイズを２倍にすることにしている。多くの場合、最初の損失を埋め合わせるだけ利益が乗ったら増やした分をすぐに手仕舞いする。しかも、２回連続で負けたところで取引サイズを２倍にするようにしている。それでその３回目も負けたら当日はトレードをやめて、翌日に新しいトレードシグナルが現れるのを待つ。

含み益が乗っているポジションの手仕舞い時にドテン

この方法もめったに使わないが、取引サイズを２倍にするテクニックよりは使っている。ほとんど使わないのは、嫌いだからではなく、このやり方には高い精度と集中力、それに一定の相場条件が整うことが必要だからだ。残念ながら、この種のトレードに適した条件が現実に整うことはめったにない。デイトレードの場合は特にそうだ。

含み益が乗っているポジションの手仕舞い時の同時ドテンは２つの状況下で可能だ。

1. 相場が抜けそうにない強力なテクニカル水準に達している
2. 相場が反対方向でポジションを建てるようシグナルを発している

いずれの場合も、トレードの執行は相場の状況を見ながらでも、自動的にでも、成り行き注文を使用してトレーダーが直接行うことができる。自動注文は、事前に推定した水準、つまり強力なサポートまたはレジスタンスの直前で、指値注文を使用して前のポジションが手仕舞われるときに執行される。その同じ注文で同時に新規ポジションも建てられる。通常の指値注文のようだが、取引サイズは最初のポジションの２倍にする。いずれの場合も、新規ポジションに対するストップを事前に置いておくことが必要だ。

２つ目のケースでは、既存のポジションを手仕舞いし、新たなポジションを建てるために、取引サイズを通常の２倍にするとともに、トレーリングストップを使うこともできる。注文が執行されたら、自動ストップによって新規ポジションを直ちに守らなければならない。

第16章
タイミングの重要性
The Importance of Timing

マーケットにはトレーダーが考慮しなければならない基本的な要素が3つある。水準、方向、タイミングだ。トレードとは、最適な時に最適な場所にいること、つまり相場の正しいサイドにいるという技だ。仕掛けに最適な場所を見極める方法と相場変動を利用する方法についてはすでに説明した。次に、タイミングという要素について説明したい。相場（空間だけでなく、時間的にも）の展開に応じてポジションを建てたり手仕舞いするときは、大局を考慮に入れることが必要だ。タイミングはトレードにとってきわめて重要な要素であり、タイミング感覚はトレーダーが成功するために不可欠な素養だ。ポジションを建てたり手仕舞いするタイミングを正しく選択することは、きわめて複雑な作業であり、高い集中力、強い忍耐力、それに（残念ながら）かなりのトレード経験を必要とする。

だから、当日の新高値や新安値を付けたときにその相場方向で建てられたポジションには、ある程度の統計上の優位性がある。それは、当日の終了時（クローズ）までに１日の平均値幅を完成する時間が十分にない場合に特に当てはまる。

将来の相場水準をある程度の精度で見極めることは経験豊富なテクニカルトレーダーにとってさほど難しいことではないが、その時間枠を予測することは不可能であるとは言わないまでもかなり難しい。予測の間違いがあまりに大きいため、早計に超有望なポジションを手仕舞ってしまったり、含み益の乗っているポジションを必要以上に持ち続けることになる。含み損を抱えているポジションは、損失が最大限にまで膨らみ、相場が好転する直前に手仕舞いされてしまうことが多い。

ちなみに、相場変動の幅とその方向との間にも関係が存在し、タイミングの一般的な法則に関する知識は最適な場所と最適な時の選択にきわめて役立つ。それに、市場は24時間開いているので、トレーダーが常に監視できなくても当たり前だ。だから、相場の活動が最高で最大の効果が期待できる時間帯に合わせて相場を監視する時間帯を定めることが必要だ。そのためには、時間帯と相場空間がどのように結びついているかを理解することが重要だ。

相場はその平均値幅を毎日完了しなければならない。だから、翌日の高値と安値との差はある程度の精度で予測できる。

これはイグロックメソッドの３つの基本的な仮説のひとつだ。この事実はデイトレードに直接関連しており、私のいくつかのテンプレートはこれに基づき構築されているので、ここで詳しく説明しておこう。

相場の時間と空間はかなり厳密に結びついている。相場の慣性を考慮に入れれば、このやり方で、ポジションの仕掛けと手仕舞いの水準をより効果的に定め、トレードを最適なタイミングで行うことができる。

このように、当日の新高値や新安値を付けた時点の方向で建てたポジションには、統計上ある程度の優位性がある。これは、当日の終了時までの残り時間が平均値幅を達成するのに不十分である場合に特に当てはまる。

新規ポジションを建てる場合、成り行き注文を使うタイミングを計っている時間がもったいないので、私は仕掛けのストップ注文をよく使っている。この戦術は一般的にきわめてうまく機能する。なぜなら、

図16.1　1つの市場タイムで1日の平均値幅を完成
（a＝アジア、b＝欧州、c＝北米）

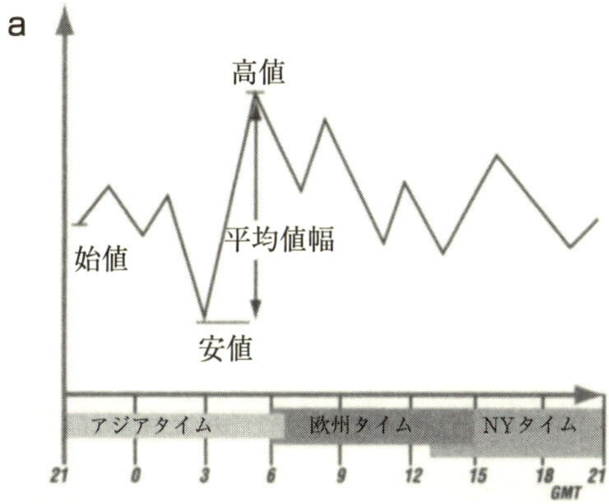

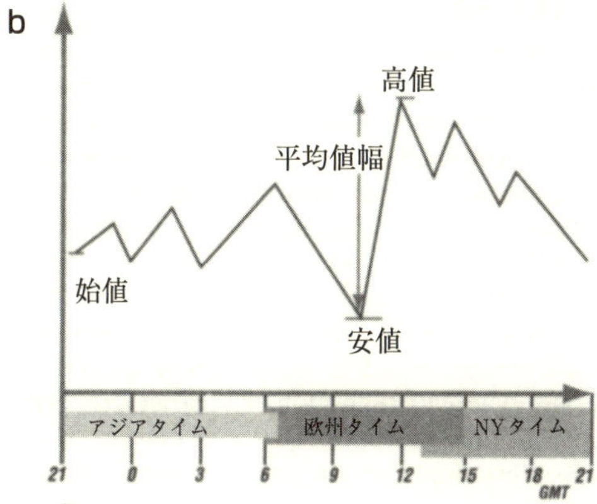

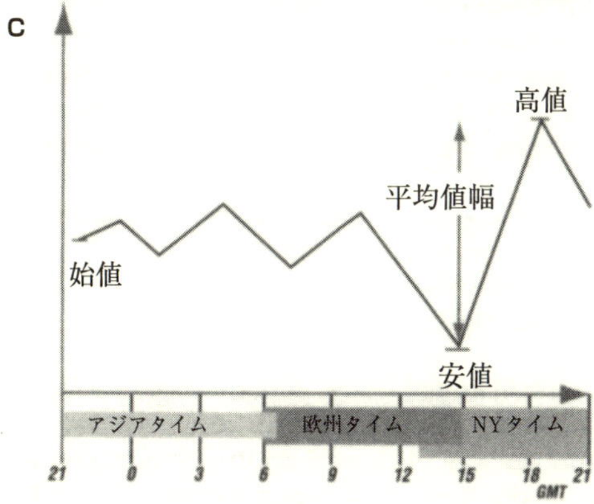

図16.2

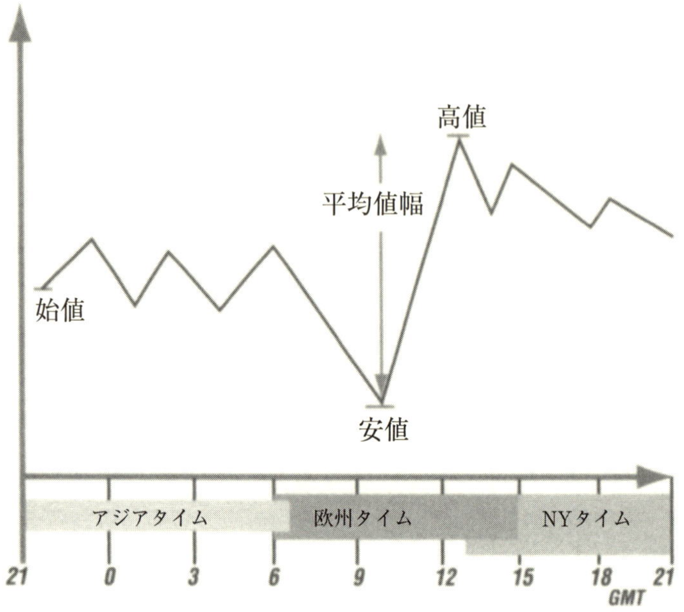

相場は、累積したストップをエネルギーにして、当日の新高値や新安値を付けた途端に加速することが多いからだ。

このトレード戦術は以下の状況できわめて有効だ。

●相場活動が最も活発な期間にトレードする
●トレードに選んだ通貨ペアの１日の平均値幅がきわめて大きい
●中期トレンドの方向でポジションを建てる
●新高値や新安値の達成が重要なテクニカル水準のブレイクと一致している
●当日の終了時までの残り時間が少ないのに、その通貨ペアの標準的な平均値幅がまだ形成されていない

図16.3

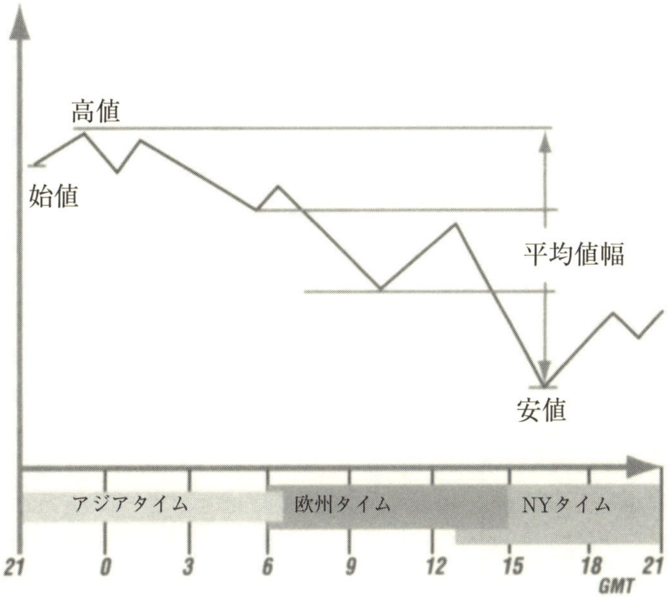

最後の項目はトレーダーに統計上優位なポジションを与えるので、特に興味深い。上記の状況が利食いのチャンスを増やすことはまずないが、手仕舞いポイントを決めるのには役立つ。相場がその平均値幅を達成したときにポジションを手仕舞いできるし、当日の終了時まで待って終了直前に手仕舞いすることもできる。後者のケースでは、相場が当日の値幅をさらに広げることが多いため、大きな利益が得られることがよくある。

相場活動期間の周期的変化

USD/JPYだけではなく、USD/CHF、USD/DEM、それにケーブル（GBP/USD）が、ひとつの市場タイム内でそれぞれの１日の取引

図16.4

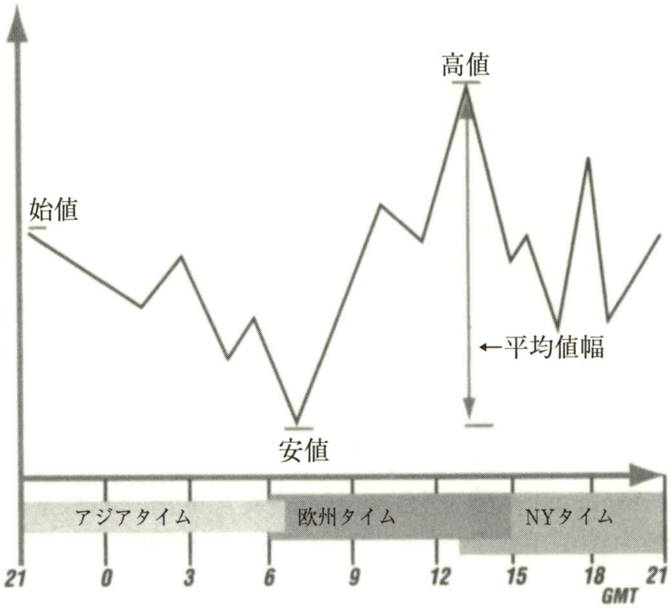

レンジを毎日のように形成するというサイクルをよく目にしてきた。相場を長期的に観察することで、タイミングに直接関連するいくつかの法則を見極めることができた。それらの法則はポジショントレードというよりも、短期トレードにとってかなり重要だ。デイトレードはタイミングの影響を最も受けるため、仕掛けと手仕舞いのタイミングに応じてさまざまなトレード戦術を使い分けることが必要だ。

最初から、相場活動が定期的に変化するという特徴に注目してもらいたい。相場活動と１日の取引レンジとは対応していない。相場活動は周期的に変化する。何日も連続して24時間ごとに活動が増加する期間と減少する期間が入れ替わるのが特徴だ。例えば、１日の取引レンジがひとつの市場タイム内に完成してしまうサイクルもあった。例えば、限定された時間内で値幅が完了するということは、アジア、欧州、

図16.5

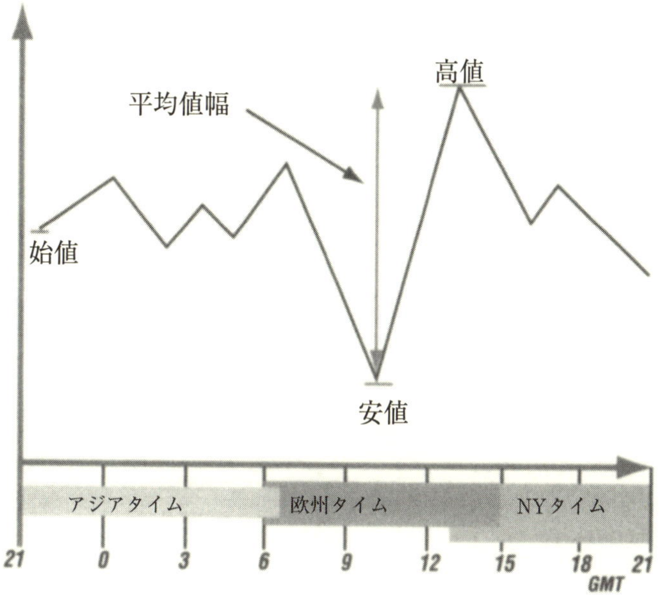

ニューヨークという３つの基本的な市場タイムのひとつで、当日の天井と底が形成されてしまうということだ。つまり、当日の高値と安値が８時間以内に形成されてしまい、当日の残りの時間は、そのレンジ内だけで動くことを意味する。

そのサイクルははっきりと見えることも、あまりよく分からないこともある。その程度には大きな幅がある。基本的な通貨のトレードにおいて私が観察した無数のサイクルのなかで、以下のものが最も記憶に残っている。

●ひとつの市場タイムで値幅が形成された（**図16.1**のａ、ｂ、ｃを参照）

●ニューヨークタイムの直前（開場10～20分前）、値幅の天井や底を

図16.6

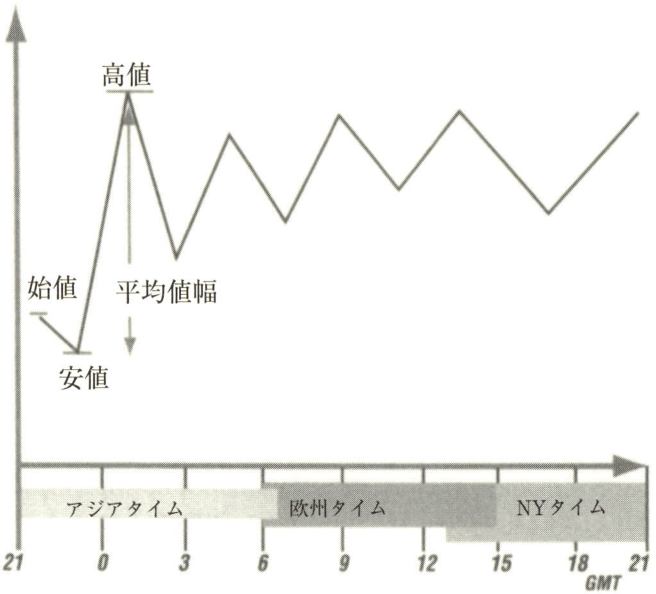

付け、当日終了時までの残り時間、そのレンジ内で推移した（**図16.2**を参照）

- 値幅が各市場タイムに分割され、各市場タイム中、直近レンジをいずれかの方向に１日の３分の１の幅だけ広げた（**図16.3**を参照）
- 欧州タイム終了時に値幅の形成を完了し、それ以降は形成されたレンジ内でだけ推移した（**図16.4**を参照）
- 欧州タイム終了前３時間で、取引レンジがほぼ２倍に広がった（**図16.5**を参照）
- ３～４時間で値幅を完全に形成し、それ以降は形成されたレンジ内でだけ推移した（**図16.6**を参照）
- 米国東部標準時の午後３～５時（午後８～10時 GMT）など、通常では考えられない時間帯に値幅が大きく（40～60％）広がった（**図**

図16.7

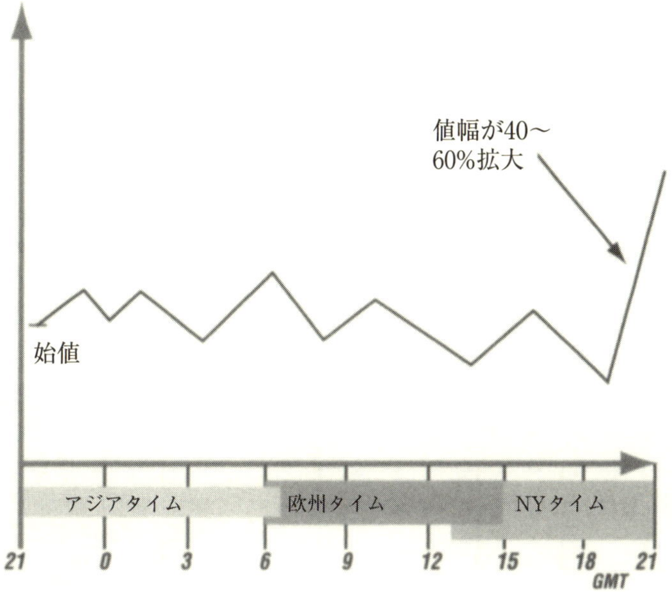

16.7を参照）

これらの図は、時間的な要素に関連したさまざまな相場パターンを示している。ご承知のように、トレードという技ではタイミングがきわめて重要な要素であり、頻繁に変化する相場サイクルを識別する能力が役に立つ。

相場活動にはそのほかにも数多くのサイクルが存在し、それらをすべてここで紹介するのはとうてい不可能だ。サイクルを識別できれば、次に動く方向の確率をもっと正確に評価し、トレードに費やす時間を合理的に計画することができるようになる。その規則性を発見すれば、相場に参加するスケジュールを変更し、活動が低い時間帯や変動の激しい時間帯を避けることができる。いくつかの周期的法則を利用すれば、ある程度確立された価格水準にあらかじめストップ注文と指値注文を置くことで自動的にトレードすることさえ可能になる。

　残念ながら、ひとつのサイクルの終わりと新しいサイクルの始まりや、相場活動の変化を予測することは不可能だ。多くのバリエーションの可能性があり、それぞれがひとつから数個の特徴を持っている。すべてのサイクルには、共通して活動が増大する期間と減少する期間があり、１日内の変動の順序にもある程度の類似性が存在する。サイクルは基本的に数週間から数カ月間続くため、相場活動の特徴の変化を識別するだけでなく、それらを最大限に利用して最大の利益を得るのに十分な時間がほぼ確実に存在する。私は標準セットから適切なテンプレートを選び、その時点における状況に合わせて調整することで、理想的なトレード結果を得るよう努めている。調整をするのは、１日以内という時間枠で新規ポジションを建てるときが多い。

第17章
中央銀行介入時のトレード戦略

Trading Strategy During the Central Bank Intervention

時として特定の国の中央銀行が自国通貨レートの安定化を図るために、単独もしくは各国の中央銀行と協調して市場介入を行うことがある。日本銀行（BOJ）は市場介入を行うことで特に名高い。米ドルに対するレートが、日銀が許容する範囲を外れそうになると、市場で一気に大量の売買を行って相場を操作する。中央銀行による介入は常に強く、速く、大きな動きを引き起こし、トレーダーの取引口座を無にするほど劇的な結果をもたらすこともある。そのような事態に備えておかなければ、瞬時にして取引口座が回復不能な打撃を受けることがある。

突然の介入による損失リスクを軽減し、介入を有利に活用するには、FX市場ではけっしてまれではないこの現象の特徴を理解し、常に備えておかなければならない。

介入の１つ目の特徴はその動きの方向だ。介入は常にその時点のメジャートレンドと逆の方向で実施される。為替レートの変動は日足と週足チャートで確認できる（**図17.1**を参照）。

２つ目の特徴は動きの大きさだ。介入はその現行レートの大幅な修正を目的としていることを覚えておかなければならない。介入の規模と参加者数に応じて300から600ピップスの幅になる。数カ国の中央銀行が参加する協調介入の場合はさらに大きくなる。同日中に介入前の

図17.1　中央銀行による介入は極めて小さいリスク（時にはまったくリスクなし）に大きく儲けることができる絶好の機会を提供することが多い。中央銀行の動きを利用すれば、楽々値幅を稼ぐことができる。このチャートは介入によって大きな値幅が生じることを示している

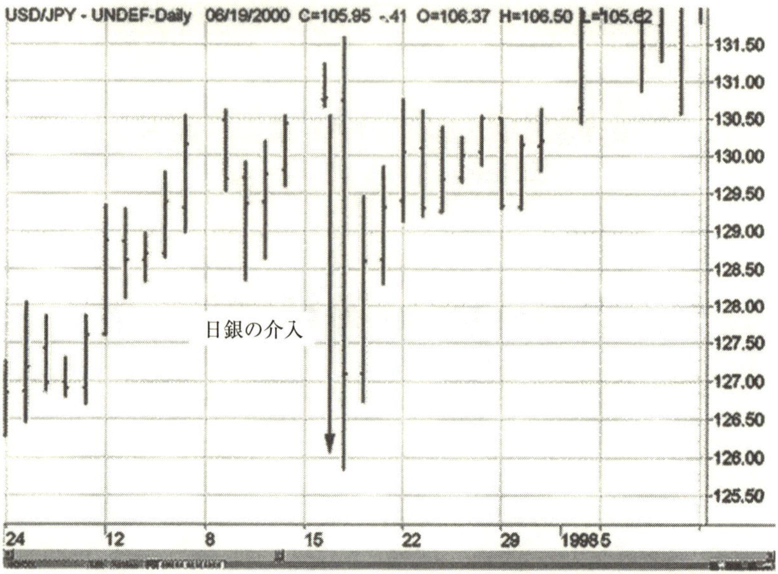

水準まで相場が戻るケースはほとんどない。介入があれば、最低限の変動幅（300～350ピップス）であっても、ほぼリスクなしに利益を上げる絶好のチャンスが生まれることもきわめて重要な点だ（**図17.2**を参照）。

３つ目の特徴は、これもトレーダーにとってありがたいことだが、実際に介入が行われるある程度前に、介入がありそうだといううわさや情報がマーケットに流れる。だから、トレーダーは事態に備え、必要な措置を取ることができる。

これらの特徴に基づき、来るべき介入に対して以下の戦略と戦術を

図17.2　協調介入時のトレード戦略

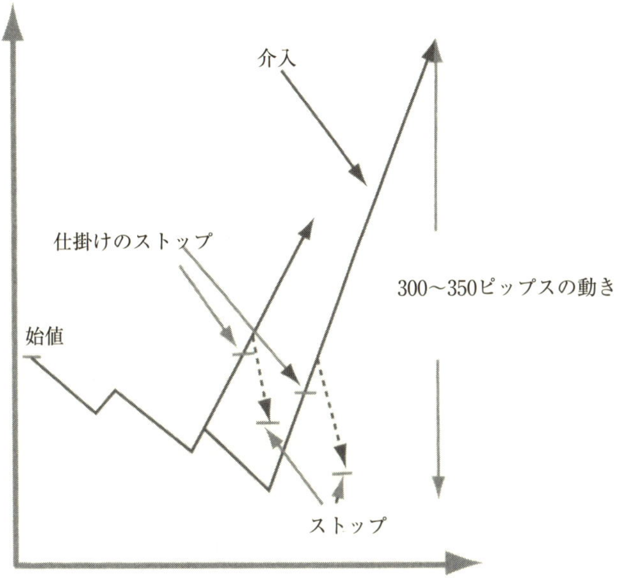

使用しなければならない。

現行の価格水準が特定の中央銀行にとって許容できないという情報をもとに、相場が介入の可能性が高い水準に入ったと判断する。その瞬間から、毎日初めに、現在値から70～100ピップスのポイントに新規ポジションを建てる仕掛けのストップ注文を置いていく。相場の動きが速くても、介入時に想定される最低限の幅が形成されるずっと前に、そのストップ注文が執行されるように想定しておく必要がある。

さらに、さまざまな展開シナリオが考えられるため、相場の動きを監視していることが必要だ。介入が実施されていないのに、何らかの理由で相場が反転し、ゆっくりと仕掛けのストップ注文に近づいてきたら、そのストップ注文をキャンセルし、現在値から70～100ピップスの幅でさらに移動させなければならない。相場の動きが遅いことは（たとえ想定される介入と同じ方向であっても）受け入れられない。

なぜなら、仕掛けのストップ注文はそれ以降の展開を期待して置いているからだ。期待する展開が起こらなければ、私の仕掛けのストップ注文はおそらくうまく機能しないだろう。

相場がメジャートレンドの方向で動き続けていれば、その方向で30～40ピップスごとに、現在値に近い水準に仕掛けのストップ注文を置いていかなければならない（この場合、介入の開始を逃さないように、必ず、まず新規のストップ注文を置いてから、前の注文をキャンセルすることが重要だ）。速い大きな動きが起こり、仕掛けのストップ注文を執行させ、新規ポジションが自動的に建てられたとしよう。その場合、その動きの理由をすぐに調べる必要がある。なぜなら、介入以外の理由によって引き起こされた可能性があるからだ。

ときには、中央銀行が介入をすべきかどうかレートを注視しているといううわさに市場が反応して、そのような動きが生じることがある。その動きは、その他の何らかの出来事、ニュース、うわさに対するマーケットの過敏な反応の結果である可能性もある。介入が実施されなかった場合、相場の上昇が介入によって引き起こされたのではないことが分かったら直ちにそのために建てたポジションを手仕舞いしなければならない。そのポジションに利益が乗っていても、負けていてもそうしなければならない。介入開始の情報が確認され、それが分かった時点にまだ300ピップスまで動いていないなら、増し玉することができる。直ちに増し玉してもよいし、直近の高値から50～70ピップス押したところで行ってもよい。

介入によって300～400ピップス動いたら、利益の一部または全部を確定してもよい。一部だけを手仕舞いする場合は、残りのポジションに対して損切りのストップ注文を置いておかなければならない。含み益が正反対の含み損に化けてしまうことがないように、最初のポジションの価格水準よりも近くに置かなければならない。

介入は不都合なレートを是正する究極的な手段として実施されるの

が普通であるため、利益は適宜に確定しなければならない。ほとんどの場合、ファンダメンタルな性質が客観的に反映された状況とは逆の状況になる。介入による是正効果が不安定であることが多いのはそのためだ。介入後数日で相場が介入前の水準に戻ってしまうことがある。そこで中央銀行が再び介入を実施するという新たな危険が起こる可能性がある。せっかく利益が乗っているポジションが、まったく逆の状態になることや、利益が大きく削られるのを避ける必要がある。それには、相場が300～350ピップス動いたら直ちに利益を確定するか、損切りのストップ注文を置いて含み益を守ることだ。日本銀行による最近の介入のほとんどが日本円の急落を妨げることだけを目的に実施されているため、USD/JPYの変動幅が300～350ピップス未満であることが多い。そのため、安全策を取るとすれば、戦術を調整し、仕掛けのストップをもっと近めに置き、素早く利食うことが必要だ。

Part 5

短期トレードとデイトレード用テンプレート

Templates for Short-Term and Intraday Trading

これから紹介するテンプレートは、「裁量的システマティック・イグロックメソッド」の「システマティック」部分に相当する。これらのテンプレートは、最も効果的で、シンプルで、ストレスや気苦労を減らし、時間とお金を節約できる方法でトレードに対処するために作成した。テンプレートを用いたトレードは、相場のパターンを識別することから始まる。

トレードを行うには、その時点の相場状況に対応する適切なテンプレートを選び、記されている手順にそのまま従う必要がある。ほとんどのテンプレートは、トレーダーの資金規模とリスク許容度に合わせてカスタマイズすることができる。ここで説明するテンプレートはすべてトレードシグナルの種類に応じてカテゴリー別に分けてあるが、カテゴリー間の境界はさほどクリアではない。２～３のテンプレートの一部ずつを組み合わせて使用することもできる。そうすることでトレーダーがそれぞれ独自のトレードスタイルとテクニックを作り出すことができると思う。

本書、特にこのパート５で説明する基本的なアイデアと原則を利用して、自分自身のトレードテンプレートを作成することをお勧めする。理解していただけると思うが、本書で紹介したアイデアに基づくありとあらゆる可能性を検討し、それぞれをテンプレートにまとめあげることはとうてい不可能だ。だから、最初から儲けられると思われるアイデアを利用したテンプレートだけを掲載してある。まともに機能するかどうか分からないものを試すような、リスクの高い、お金を無駄にするようなテンプレートは含まれていない。これは、トレードのスタイルとテクニックを構築するしっかりとした基礎を提供するはずだ。

トレードテンプレート		
1. 想定利益と想定リスクの評価尺度	1. 非常に低い	
	2. 低い	
	3. 平均以下	
	4. 平均	
	5. 平均以上	
	6. 高い	
	7. 非常に高い	
2. ターゲット（利食いポイント）	P1、P2、P3など	
3. 損益比率（P＝利益／L＝損失）の推定	P>L	プラス
	P＝L	中立
	P<L	マイナス

第 18 章
平均値幅に基づくテンプレート
Average Daily Trading Range Templates

相場には１日の平均値幅を完遂する強い傾向がある。各テンプレートで説明するように、その習性を利用して仕掛け戦略を構築することができる。**テンプレート18.1**から**テンプレート18.5**の各テンプレートはそれぞれ対応する相場パターン図を付記してある。

<table>
<tr><th colspan="4">テンプレート18.1</th></tr>
<tr><td>相場状況</td><td colspan="3">当日の開始時（オープン）からアジアタイム終了まで、特定のパターンを形成することなく、始値を中心に上下30～50ピップスのレンジで推移している</td></tr>
<tr><td>推奨通貨ペア</td><td colspan="3">USD/CHF、USD/JPY、EUR/USD、EUR/JPY、その他のEURクロス</td></tr>
<tr><td>トレードの性質</td><td colspan="3">基本（保守的）</td></tr>
<tr><td>仕掛けのポイント</td><td colspan="3">レンジをどちらかにブレイクしたら、その方向でポジションを建てる
A.　レンジの底を付けた直後に新高値を付けてそのレンジをブレイクしたらすぐに買う、または
B.　レンジの天井を付けた直後に新安値を付けてそのレンジをブレイクしたらすぐに売る</td></tr>
<tr><td>仕掛けのタイミング</td><td colspan="3">欧州タイム開始から2～3時間以内</td></tr>
<tr><td>仕掛け注文の種類</td><td colspan="3">仕掛けのストップ（逆指値）注文または成り行き注文</td></tr>
<tr><td>ストップを置く場所</td><td colspan="3">レンジを挟んで反対側（レンジの下端よりも下またはレンジの上端よりも上）</td></tr>
<tr><td>ストップ執行時にドテン</td><td colspan="3">推奨する（自動の仕掛けストップ注文）</td></tr>
<tr><td>ターゲット（任意選択）</td><td>30～40ピップス（P1）</td><td>平均値幅（P2）</td><td>当日の終値（P3）</td></tr>
<tr><td>想定利益</td><td colspan="3">30～100ピップス</td></tr>
<tr><td>勝率評価</td><td colspan="3">高い</td></tr>
<tr><td>リスク評価</td><td colspan="3">低い</td></tr>
<tr><td>損益比率</td><td colspan="3">マイナスからプラス</td></tr>
<tr><td>有利な要素</td><td>ポジションが直近の中期トレンドの方向で建てられている（このケースではP2とP3が望ましい）</td><td colspan="2">ストップを置いてある側に水平面が形成されたら、リスク警告と考えられる。できるだけ速く利食うことが賢明だ</td></tr>
<tr><td>不利な要素、リスク、アドバイス</td><td>リスク――ポジションが直近の中期トレンドと逆の方向で建てられた</td><td colspan="2">アドバイス――利益を30～40ピップスに限定するか、ポジションを建てない</td></tr>
<tr><td>その他の注意、アドバイス、ヒント</td><td colspan="3">相場が利食いのチャンスを与えてくれなかったり、何らかの理由で利食いしなかった場合でも、ストップが執行されてポジションをドテンしたあと、当日中に最初の損失を取り戻せる確率は高い</td></tr>
</table>

図18.1a

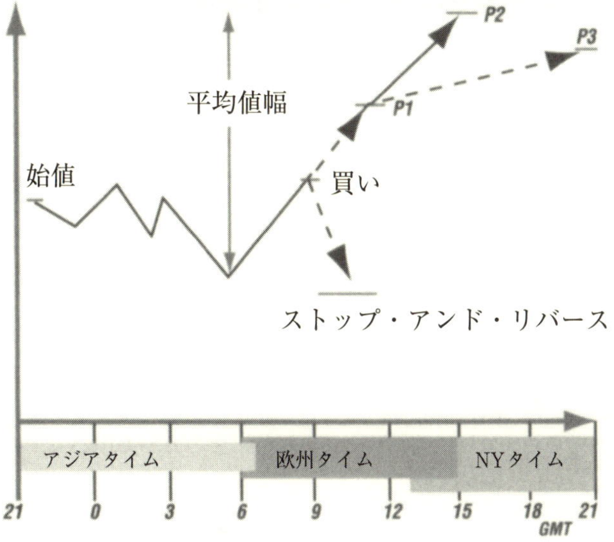
P2
P3
平均値幅
P1
始値
買い
ストップ・アンド・リバース
アジアタイム
欧州タイム
NYタイム
21
0
3
6
9
12
15
18
21
GMT

図18.1b

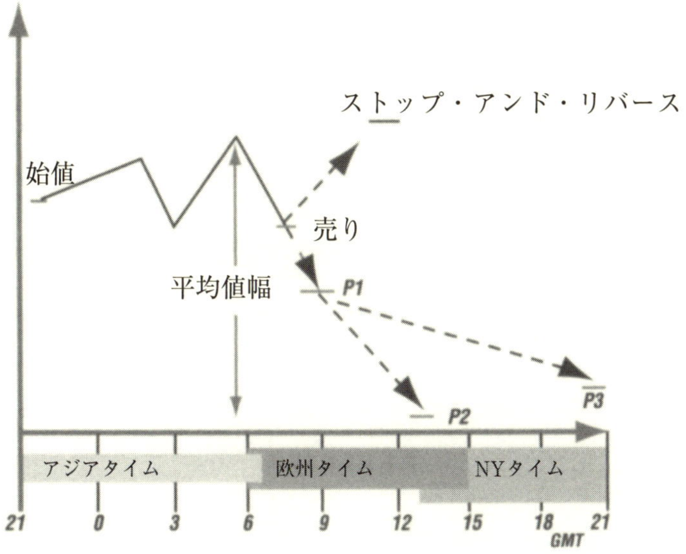
ストップ・アンド・リバース
始値
売り
平均値幅
P1
P2
P3
アジアタイム
欧州タイム
NYタイム
21
0
3
6
9
12
15
18
21
GMT

<table>
<tr><th colspan="4">テンプレート18.2</th></tr>
<tr><td>相場状況</td><td colspan="3">当日の開始時からアジアタイムにかけて、特定のパターンを形成することなく、相場が始値から一方向へのみ40〜60ピップスゆっくりと推移している</td></tr>
<tr><td>推奨通貨ペア</td><td colspan="3">USD/CHF、USD/JPY、EUR/USD、EUR/JPY、その他のEURクロス</td></tr>
<tr><td>トレードの性質</td><td colspan="3">基本（保守的）</td></tr>
<tr><td>仕掛けのポイント</td><td colspan="3">レンジを反対方向へブレイクしたらその方向でポジションを建てる
A.　天井を付けた直後に新安値を付けてレンジをブレイクしたらすぐに売る、または
B.　底を付けた直後に新高値を付けてレンジをブレイクしたらすぐに買う</td></tr>
<tr><td>仕掛けのタイミング</td><td colspan="3">欧州タイムまたはNYタイム</td></tr>
<tr><td>仕掛け注文の種類</td><td colspan="3">仕掛けのストップ注文</td></tr>
<tr><td>ストップを置く場所（トレーダーの個人的な状況や好みで選ぶことはできない。マネーマネジメント原則を適用しなければならない）</td><td colspan="3">レンジの反対側（当日の直近高値よりも上または当日の直近安値よりも下）</td></tr>
<tr><td>ストップ執行時にドテン</td><td colspan="3">推奨する（ストップ執行と同時に自動的にドテン）</td></tr>
<tr><td>ターゲット（任意選択）</td><td>平均値幅（P1）</td><td colspan="2">当日の終値（P2）</td></tr>
<tr><td>想定利益</td><td colspan="3">50〜100ピップス</td></tr>
<tr><td>勝率評価</td><td colspan="3">平均から高</td></tr>
<tr><td>リスク評価</td><td colspan="3">平均から低</td></tr>
<tr><td>損益比率</td><td colspan="3">中立からプラス</td></tr>
<tr><td>有利な要素</td><td>ポジションが中期トレンドの方向で建てられた</td><td>ポジションが前日の主な動きの方向で建てられた</td><td>相場が重要なトレンドライン、サポート、レジスタンスをブレイクした</td></tr>
<tr><td>不利な要素、リスク、アドバイス</td><td>リスク#1――そのポジションが中期トレンドと逆の方向で建てられた
リスク#2――そのポジションが前日の主な動きと逆の方向で建てられた
リスク#3――レンジの反対側に「水平面」が形成された</td><td colspan="2">アドバイス#1――ストップを近くへ移動し、当日中に形成された直近高値（安値）よりも上（下）に置く
アドバイス#2――上記と同じ
アドバイス#3――リスクを受け入れる</td></tr>
</table>

図18.2a

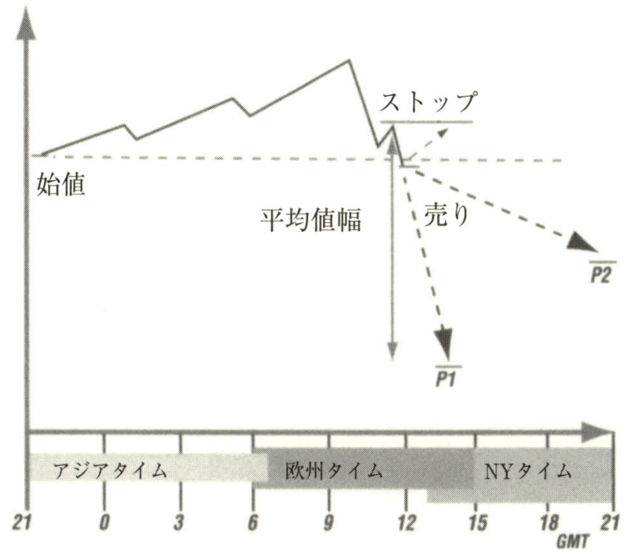
ストップ
始値
平均値幅
売り
P2
P1
アジアタイム
欧州タイム
NYタイム
21
0
3
6
9
12
15
18
21
GMT

図18.2b

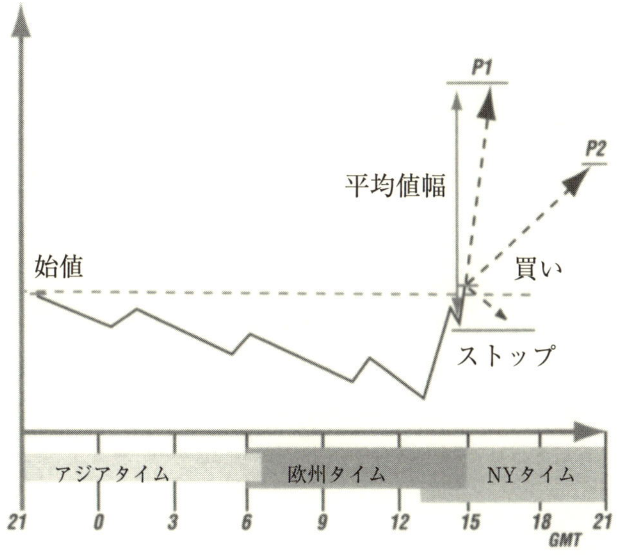
P1
P2
平均値幅
始値
買い
ストップ
アジアタイム
欧州タイム
NYタイム
21
0
3
6
9
12
15
18
21
GMT

テンプレート18.3

相場状況	当日の開始時からアジアタイムにかけて、特定のパターンを形成することなく、相場が始値から一方向へ40～60ピップスゆっくりと推移している			
推奨通貨ペア	GBP/USD、USD/CHF、USD/JPY、EUR/USD、EUR/JPY、その他EURクロス			
トレードの性質	随意選択（リスクを伴う）			
仕掛けのポイント	動きと反対の方向、つまり当日の始値の方向への反転を期待してポジションを建てる			
仕掛けのタイミング	A.　アジアタイム終了時――欧州タイムの開始時、または B.　40～60ピップスのレンジが形成されたらすぐ、ただし欧州タイムの開始後2～3時間以内			
仕掛け注文の種類	成り行き注文			
ストップを置く場所（トレーダーの個人的な状況や好みで選ぶことができる。マネーマネジメント原則を適用しなければならない）	ポジションの仕掛け値から50ピップス	最も近いサポートの下または最も近いレジスタンスの上	当日の直近高値の上（当日の直近安値の下）	最も近い主要トレンドラインの反対側（該当する場合）
ストップ執行時にドテン	推奨しない			
ターゲット（任意選択）	当日の始値（P1）	平均値幅（P2）	当日の終値（P3）	
想定利益	50～160ピップス			
勝率評価	平均から平均以上			
リスク評価	平均以下から平均			
損益比率	中立からプラス			
有利な要素	レンジの反対側に水平面が形成された	当日、始値近くでコモンギャップが形成された	前日の主な動きがそのポジションと同方向	
不利な要素、リスク、アドバイス	リスク#1――ポジションが中期トレンドと逆の方向で建てられた リスク#2――ポジションが前日の主な動きと逆の方向で建てられた	アドバイス#1――当日の始値で利益確定 アドバイス#2――当日の始値で利益確定		
その他の注意、アドバイス、ヒント	ポジションを建てたあとに相場が当日の始値に戻ったら、ストップを近くへ移動し、レンジの反対側の端に置く。その場合、利食い目標も移動し、当日の終値または平均値幅に置く			

図18.3a

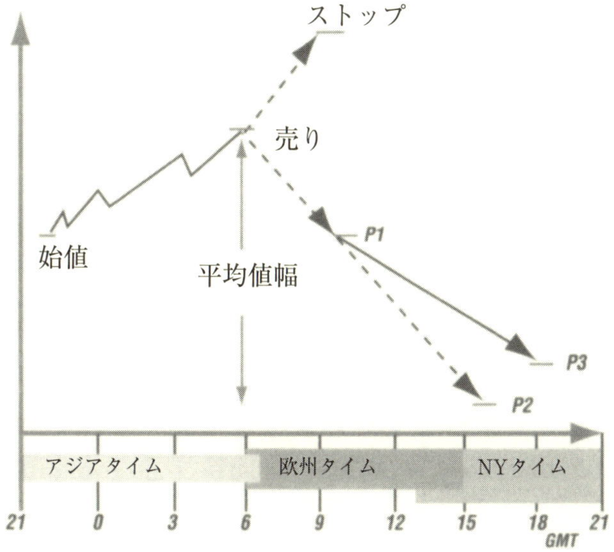
ストップ
売り
始値
平均値幅
P1
P3
P2
アジアタイム
欧州タイム
NYタイム
21
0
3
6
9
12
15
18
21
GMT

図18.3b

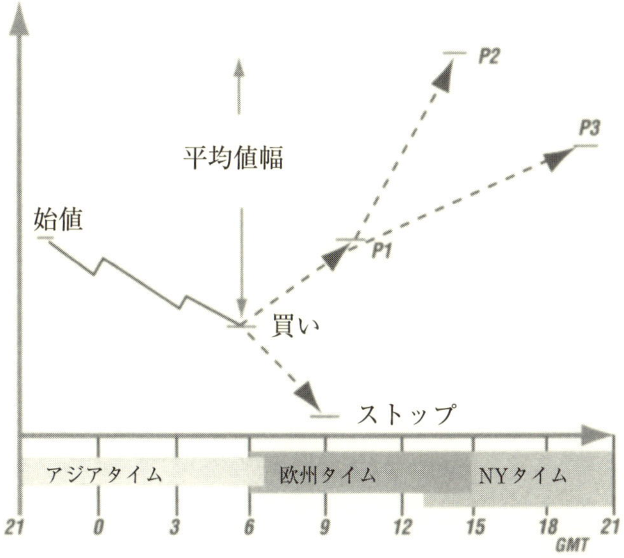
P2
P3
平均値幅
始値
P1
買い
ストップ
アジアタイム
欧州タイム
NYタイム
21
0
3
6
9
12
15
18
21
GMT

テンプレート18.4		
相場状況	欧州タイムの終了時――NYタイムの開始時――までに80～100ピップスの値幅を形成している。レンジの一方の端から、前日の主な方向（もしくは中期トレンドの方向）とは逆の方向へ動き、レンジの反対側の端へ近づいている	
推奨通貨ペア	USD/CHF、USD/JPY、GBP/USD、EUR/USD、EUR/JPY、その他のEURクロス	
トレードの性質	絶好の機会	
仕掛けのポイント	前日の主な動き（または中期トレンド）の方向に、当日の高値または安値の30ピップス手前でポジションを建てる	
仕掛けのタイミング	欧州タイムの終盤またはNYタイム	
仕掛け注文の種類	仕掛けのストップ注文	
ストップを置く場所	近いほうのレンジの端	
ストップ執行時にドテン	推奨する（自動の仕掛けストップ注文）	
ターゲット（任意選択）	平均値幅（P1）	当日の終値（P2）
想定利益	100～140ピップス	
勝率評価	平均	
リスク評価	平均以下	
損益比率	プラス	
有利な要素	特になし	
不利な要素、リスク、アドバイス	特になし	
その他の注意、アドバイス、ヒント	利益確定前にストップが執行されても、その日のうちに最初の損失を取り戻せる確率は高い	

図18.4a

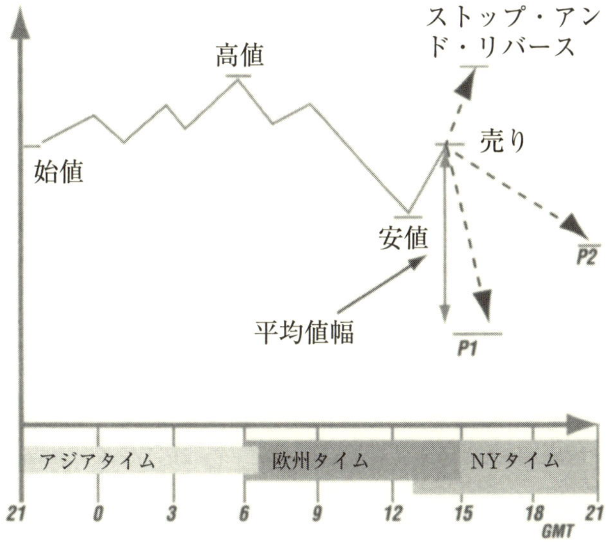
ストップ・アンド・リバース
高値
売り
始値
安値
P2
平均値幅
P1
アジアタイム
欧州タイム
NYタイム
21
0
3
6
9
12
15
18
21
GMT

図18.4b

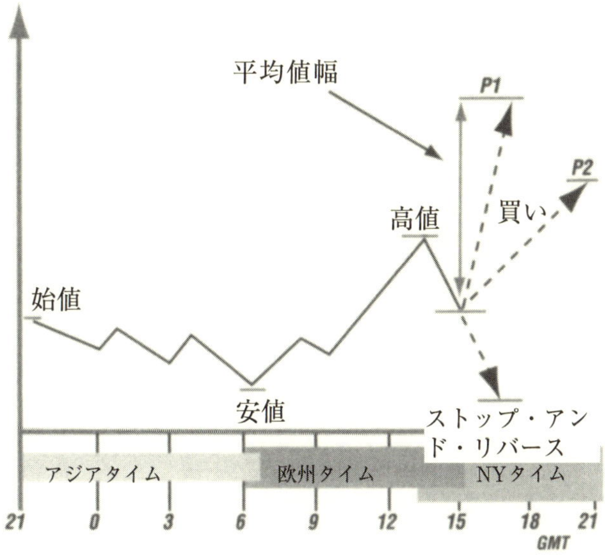
平均値幅
P1
P2
買い
高値
始値
安値
ストップ・アンド・リバース
アジアタイム
欧州タイム
NYタイム
21
0
3
6
9
12
15
18
21
GMT

テンプレート18.5

相場状況	日中の値幅の端から端まで動いて、新しい日中の高値や安値を付ける。その時点では平均値幅の3分の2以上のレンジを形成。当日の終了時（クローズ）まで3～5時間以内		
推奨通貨ペア	USD/CHF、EUR/USD、EUR/JPY、その他のEURクロス		
トレードの性質	基本（保守的）		
仕掛けのポイント	日中の高値や安値がブレイクされた方向でポジションを建てる		
仕掛けのタイミング	NYタイム終盤		
仕掛け注文の種類	直近レンジの反対側の端		
ストップを置く場所	推奨する（自動の仕掛けストップ注文）	直近スイングの天井または底	
ストップ執行時にドテン	推奨する（自動の仕掛けストップ注文）	やや推奨	
ターゲット（任意選択）	平均値幅（P1）	当日の終値（P2）	主要なトレンドライン、サポート、またはレジスタンス（P3）
想定利益	30～60ピップス		
勝率評価	非常に高い		
リスク評価	非常に低い		
損益比率	マイナス		
有利な要素	特になし		
不利な要素、リスク、アドバイス	特になし		
その他の注意、アドバイス、ヒント	特になし		

図18.5a

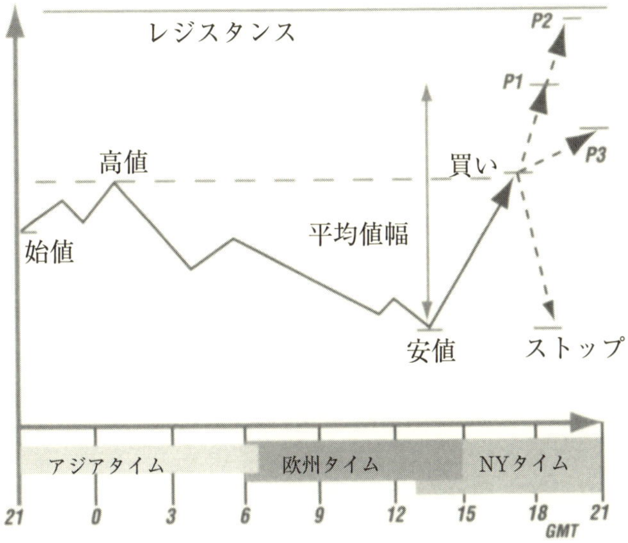
レジスタンス
P2
P1
P3
高値
買い
平均値幅
始値
安値
ストップ
アジアタイム
欧州タイム
NYタイム
21
0
3
6
9
12
15
18
21
GMT

図18.5b

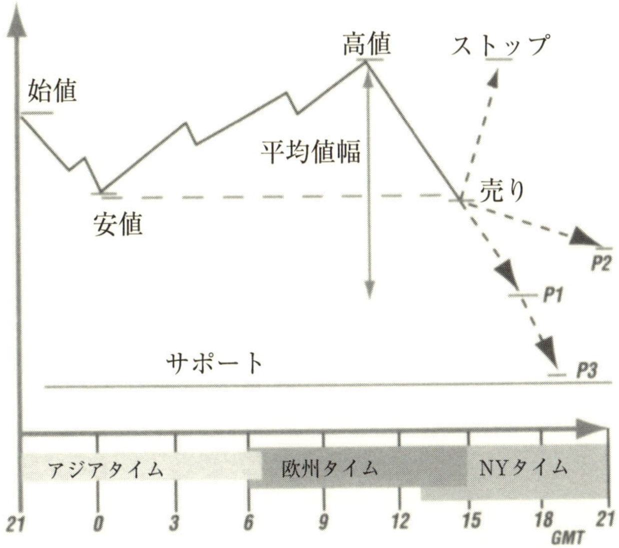
高値
ストップ
始値
平均値幅
売り
安値
P2
P1
P3
サポート
アジアタイム
欧州タイム
NYタイム
21
0
3
6
9
12
15
18
21
GMT

第19章

テクニカルフォーメーションに基づくテンプレート

Technical Formation Templates

チャネル、トライアングル、ダイヤモンド、ヘッド・アンド・ショルダーズ、ダブルトップ、ダブルボトムなどの一般的なテクニカルフォーメーションは、以降の各テンプレートで示するように、仕掛けの機会を提供する。**テンプレート19.1**から**テンプレート19.15**の各テンプレートにはそれぞれ相場パターン図を付記してある。

テンプレート19.1			
相場状況	当日、序盤のアジアタイム中、狭い（20～30ピップス）クシ状の水平チャネルを形成してからその一方の端をブレイクした		
推奨通貨ペア	全主要通貨ペアとクロス		
トレードの性質	基本（保守的）		
仕掛けのポイント	最初のブレイクは無視し、次のその反対方向でのブレイクで仕掛ける。ポジションは動きの方向で建てなければならない		
仕掛けのタイミング	アジアタイムまたは欧州タイム序盤		
仕掛け注文の種類	仕掛けのストップ注文		
ストップを置く場所	当日直近レンジの反対側		
ストップ執行時にドテン	推奨する（自動の仕掛けのストップ注文）		
ターゲット（任意選択）	30～40ピップス（P1）	平均値幅（P2）	当日の終値（P3）
想定利益	30～120ピップス		
勝率評価	非常に高い		
リスク評価	非常に低い		
損益比率	中立からプラス		
有利な要素	ポジションが現行の中期トレンドの方向で建てられている		
不利な要素、リスク、アドバイス	リスク――ポジションが現行の中期トレンドと逆の方向で建てられている	アドバイス――ターゲットP1に従って利益を確定する	
その他の注意、アドバイス、ヒント	特になし		

図19.1ａ

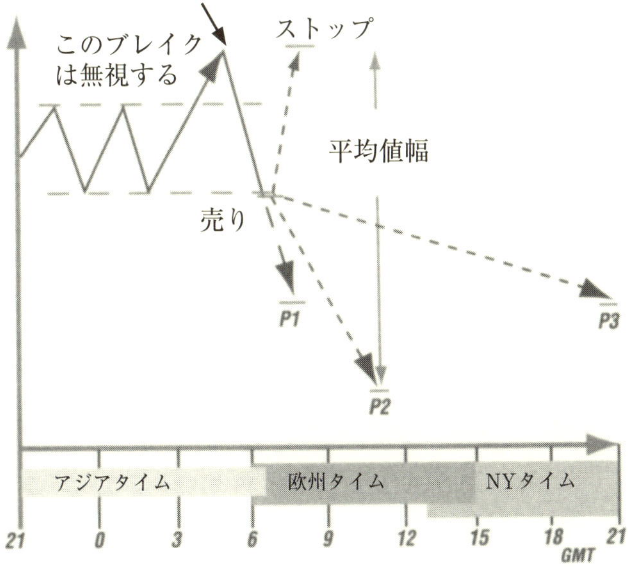
このブレイク
は無視する
ストップ
平均値幅
売り
P1
P2
P3
アジアタイム
欧州タイム
NYタイム
21
0
3
6
9
12
15
18
21
GMT

図19.1ｂ

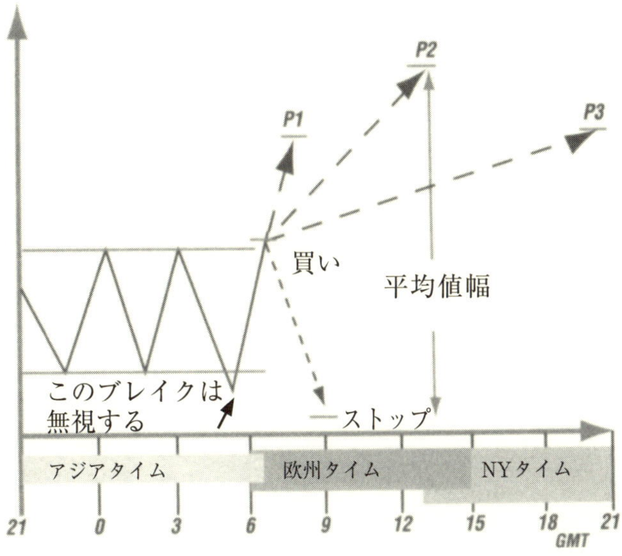
P2
P1
P3
買い
平均値幅
このブレイクは
無視する
ストップ
アジアタイム
欧州タイム
NYタイム
21
0
3
6
9
12
15
18
21
GMT

テンプレート19.2	
相場状況	当日、序盤のアジアタイム中、狭い（20～30ピップス）のクシ状の水平チャネルが形成された。通常、5分足から10分足チャートで識別できる
推奨通貨ペア	USD/CHF、USD/JPY、GBP/USD、EUR/USD、EUR/JPY、その他EURクロス
トレードの性質	随意選択（リスクを伴う）
仕掛けのポイント	上方下方を問わず、最初のブレイク時にその動きの方向でポジションを建てる
仕掛けのタイミング	アジアタイム
仕掛け注文の種類	仕掛けのストップ注文
ストップを置く場所	チャネルの反対側
ストップ執行時にドテン	推奨する（自動の仕掛けのストップ注文）
ターゲット（任意選択なし）	20～30ピップス
想定利益	20～30ピップス
勝率評価	平均
リスク評価	平均
損益比率	マイナス
有利な要素	特になし
不利な要素、リスク、アドバイス	このトレードではきわめて正確な執行が必要となるため、優良な取引業者や取次業者が前提となる。また経験豊富なトレーダーにのみ推奨される
その他の注意、アドバイス、ヒント	このトレードを推奨するのは、リスクがきわめて小さいからだけでなく、小さな利益を確定する時間が十分にあることが多いからでもある。ドテン（ストップが執行された場合）によって遅かれ早かれ最初の損失を取り戻せる可能性が高い。だが、きわめてまれだが、予期しない速い動きが起こることがあり、その結果、この表に記したターゲットよりもはるかに大きな利益が得られることもある（ただし、慎重派のトレーダーには適さない）

図19.2a

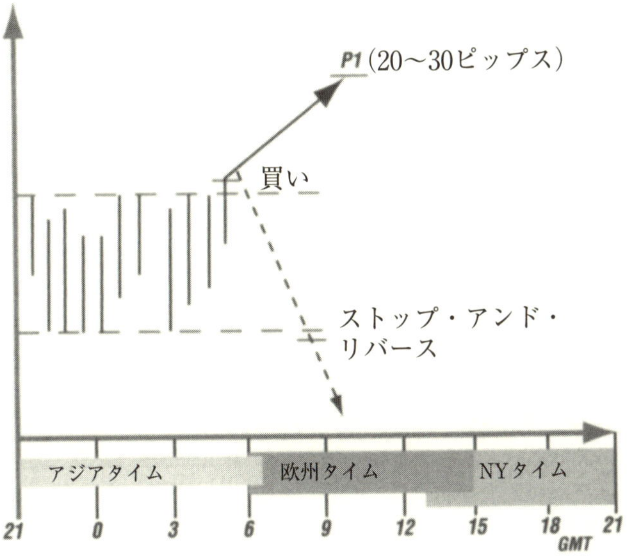
P1（20～30ピップス）
買い
ストップ・アンド・
リバース
アジアタイム
欧州タイム
NYタイム
21
0
3
6
9
12
15
18
21
GMT

図19.2b

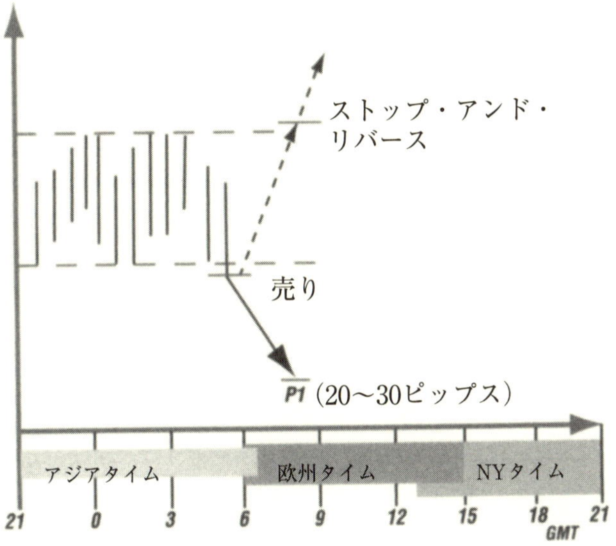
ストップ・アンド・
リバース
売り
P1（20～30ピップス）
アジアタイム
欧州タイム
NYタイム
21
0
3
6
9
12
15
18
21
GMT

<table>
<tr><th colspan="5">テンプレート19.3</th></tr>
<tr><td>相場状況</td><td colspan="4">1時間足および日足チャート上で水平チャネルが形成されていることが識別できる</td></tr>
<tr><td>推奨通貨ペア</td><td colspan="4">全主要通貨ペアとクロス</td></tr>
<tr><td>トレードの性質</td><td colspan="4">基本（保守的）</td></tr>
<tr><td>仕掛けのポイント</td><td colspan="4">最初のブレイクは無視し、次のその反対側でのブレイクで仕掛ける。ポジションは動きの方向で建てなければならない</td></tr>
<tr><td>仕掛けのタイミング</td><td colspan="4">いつでも</td></tr>
<tr><td>仕掛け注文の種類</td><td colspan="4">仕掛けのストップ注文</td></tr>
<tr><td>ストップを置く場所</td><td>当日レンジの反対側</td><td>ブレイクされたラインの下20～30ピップス</td><td colspan="2">その他</td></tr>
<tr><td>ストップ執行時にドテン</td><td colspan="4">推奨する（マネーマネジメントの各要件とテクニカルな相場観に従った自動仕掛ストップ注文）</td></tr>
<tr><td>ターゲット（任意選択）</td><td>平均値幅（P1）</td><td>当日の終値（P2）</td><td>チャネルの幅（P3）</td><td>その他</td></tr>
<tr><td>想定利益</td><td colspan="4">特になし</td></tr>
<tr><td>勝率評価</td><td colspan="4">非常に高い</td></tr>
<tr><td>リスク評価</td><td colspan="4">非常に低い</td></tr>
<tr><td>損益比率</td><td colspan="4">プラス</td></tr>
<tr><td>有利な要素</td><td colspan="4">ポジションが現行中期トレンドの方向で建てられている</td></tr>
<tr><td>不利な要素、リスク、アドバイス</td><td colspan="4">特になし</td></tr>
<tr><td>その他の注意、アドバイス、ヒント</td><td colspan="4">このトレードは、ターゲットを1日の平均値幅の外にあるテクニカル水準に置くことによって長期ポジションに転換することもできる</td></tr>
</table>

図19.3a

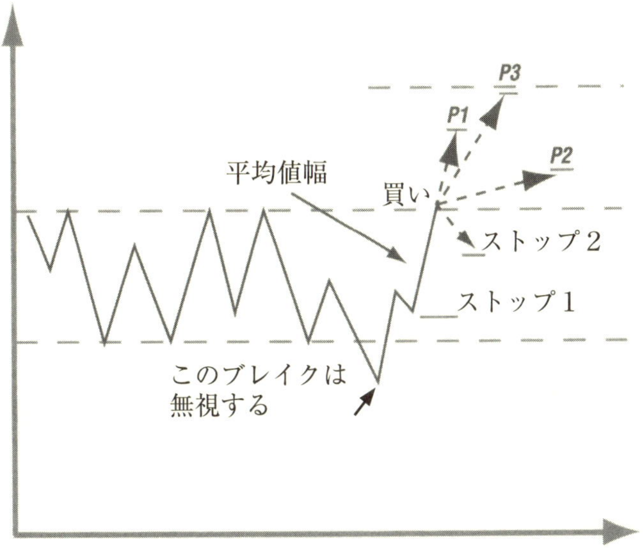
P3
P1
P2
平均値幅
買い
ストップ２
ストップ１
このブレイクは
無視する

図19.3b

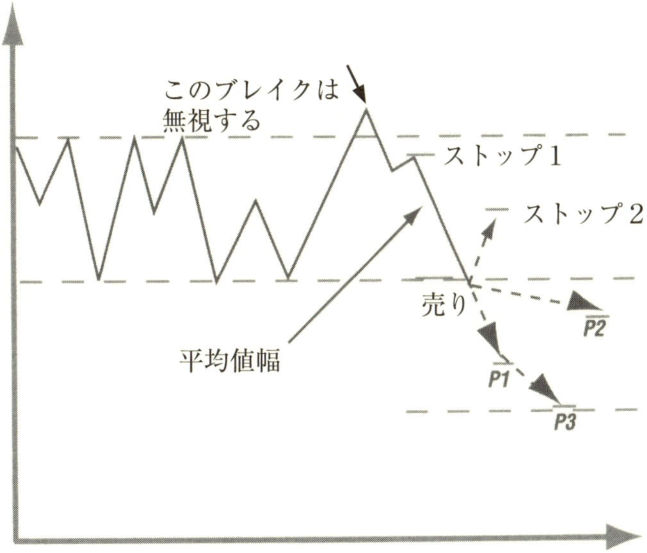
このブレイクは
無視する
ストップ１
ストップ２
売り
P2
平均値幅
P1
P3

テンプレート19.4				
相場状況	1時間足および日足チャート上で水平チャネルが形成されていることが識別できる			
推奨通貨ペア	全主要通貨ペアとクロス			
トレードの性質	基本（保守的）			
仕掛けのポイント	方向に関係なく最初のブレイクで仕掛ける。ポジションは動きの方向で建てなければならない			
仕掛けのタイミング	いつでも			
仕掛け注文の種類	仕掛けのストップ注文			
ストップを置く場所	直近レンジの反対側			
ストップ執行時にドテン	推奨する（自動の仕掛けストップ注文）			
ターゲット（任意選択）	平均値幅（P1）	当日の終値（P2）	チャネルの幅（P3）	その他
想定利益	特になし			
勝率評価	高い			
リスク評価	低い			
損益比率	プラス			
有利な要素	ポジションが現行中期トレンドの方向で建てられた			
不利な要素、リスク、アドバイス	リスク――ポジションが現行中期トレンドと逆の方向で建てられた	アドバイス――リスクを受け入れる		
その他の注意、アドバイス、ヒント	このトレードはターゲットを1日の平均値幅の外にあるテクニカル水準に置くことによって長期ポジションへ転換することもできる			

図19.4ａ

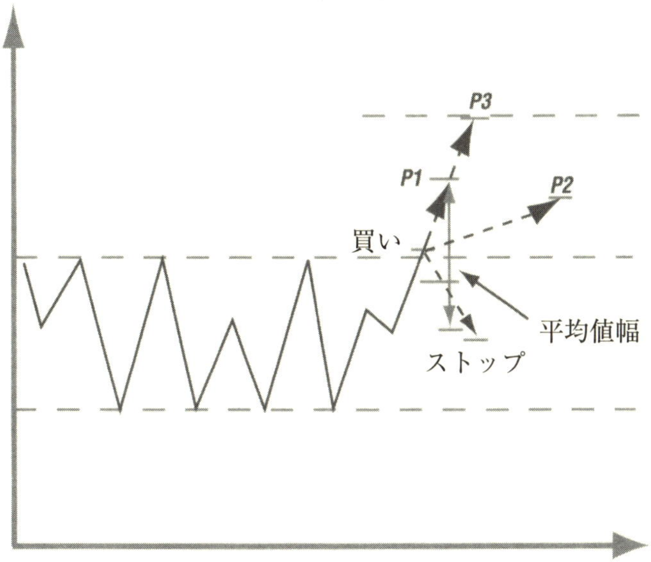

図19.4ｂ

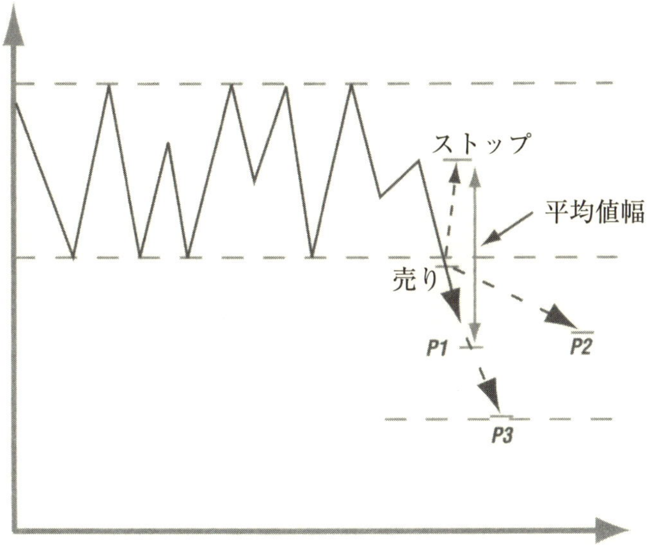

テンプレート19.5

相場状況	1時間足および日足チャート上で水平チャネルが形成されていることが識別できる。チャネルの一方の境界線に少なくとも3回、もう一方の境界線に2回触れている			
推奨通貨ペア	全主要通貨ペアとクロス			
トレードの性質	絶好の機会			
仕掛けのポイント	境界線への3回目の接近時に仕掛ける。ポジションはチャネルの内側への方向で建てなければならない			
仕掛けのタイミング	いつでも			
仕掛け注文の種類	指値注文または成り行き注文			
ストップを置く場所	近いほうの境界線のすぐ外側（15～25ピップス）			
ストップ執行時にドテン	自動仕掛けストップ注文を推奨			
ターゲット（任意選択）	平均値幅（P1）	当日の終値（P2）	チャネルの反対側（P3）	チャネル内側のその他のテクニカル水準
想定利益	特になし			
勝率評価	平均以上			
リスク評価	平均以下			
損益比率	プラス			
有利な要素	ポジションが現行中期トレンドの方向で建てられた			
不利な要素、リスク、アドバイス	リスク――ポジションが現行中期トレンドと逆の方向で建てられた		アドバイス――リスクを受け入れる	
その他の注意、アドバイス、ヒント	このトレードはターゲットを1日の平均値幅の外にあるテクニカル水準に置くことによって長期ポジションへ転換することもできる。ポジションが現行長期トレンド方向で建てられている場合は特にそうだ。その場合、チャネルのもう一方の境界線がブレイクされるか否かを見極めるまで待つことができる（境界線への4回目の接触直後にブレイクすることが多い）			

図19.5ａ

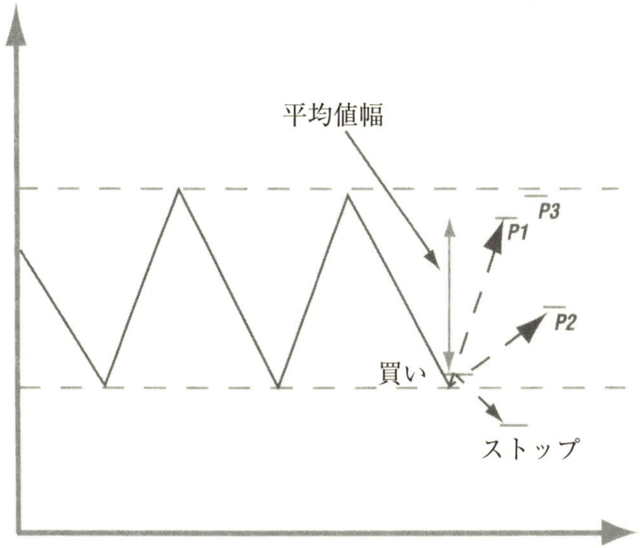

図19.5ｂ

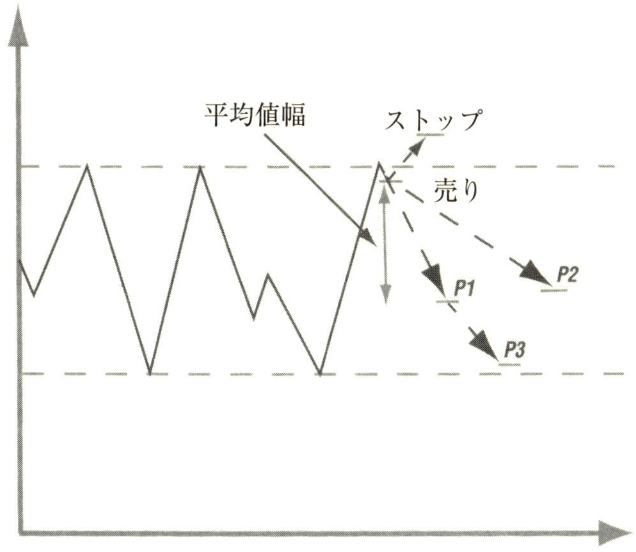

<table>
<tr><th colspan="5">テンプレート19.6</th></tr>
<tr><td>相場状況</td><td colspan="4">１時間足および日足チャート上で傾斜チャネルが形成されていることが識別できる</td></tr>
<tr><td>推奨通貨ペア</td><td colspan="4">全主要通貨ペアとクロス</td></tr>
<tr><td>トレードの性質</td><td colspan="4">基本（保守的）</td></tr>
<tr><td>仕掛けのポイント</td><td colspan="4">上昇チャネルの下方境界線または下降チャネルの上方境界線で仕掛ける。ポジションはチャネルの内側への方向で建てなければならない</td></tr>
<tr><td>仕掛けのタイミング</td><td colspan="4">いつでも</td></tr>
<tr><td>仕掛け注文の種類</td><td colspan="4">指値注文または成り行き注文</td></tr>
<tr><td>ストップを置く場所</td><td colspan="4">近いほうの境界線のすぐ外側（10～20ピップス）</td></tr>
<tr><td>ストップ執行時にドテン</td><td colspan="4">推奨する（自動仕掛けストップ注文）</td></tr>
<tr><td>ターゲット（任意選択）</td><td>平均値幅（P1）</td><td>当日の終値（P2）</td><td>反対側の境界線（P3）</td><td>チャネル内側のその他のテクニカル水準</td></tr>
<tr><td>想定利益</td><td colspan="4">特になし</td></tr>
<tr><td>勝率評価</td><td colspan="4">平均以上</td></tr>
<tr><td>リスク評価</td><td colspan="4">平均以下</td></tr>
<tr><td>損益比率</td><td colspan="4">プラス</td></tr>
<tr><td>有利な要素</td><td colspan="4">特になし</td></tr>
<tr><td>不利な要素、リスク、アドバイス</td><td colspan="4">特になし</td></tr>
<tr><td>その他の注意、アドバイス、ヒント</td><td colspan="4">このトレードはポジションが現行中期トレンドの方向で建てられている場合、ターゲットを１日の平均値幅の外にあるテクニカル水準に置くことによって長期ポジションへ転換することもできる（境界線への４回目の接触の直後にブレイクすることが多いので要注意）。ストップが執行された場合、境界線がブレイクされたあとにすぐ最初の損失を取り戻すことが可能になる。ポジション反転によってテンプレート19.5のトレードに転換する可能性がある</td></tr>
</table>

図19.6ａ

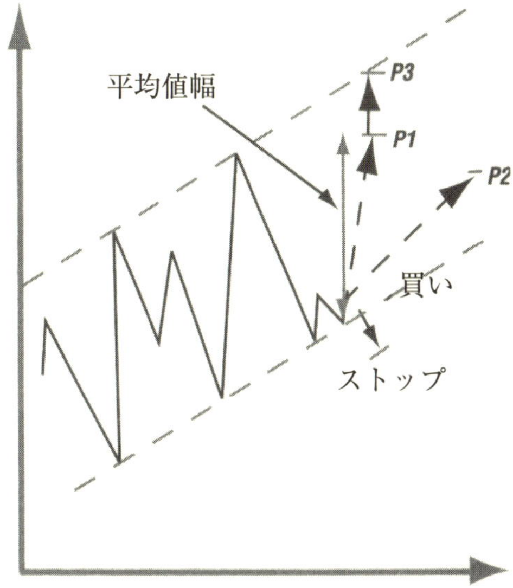

図19.6ｂ

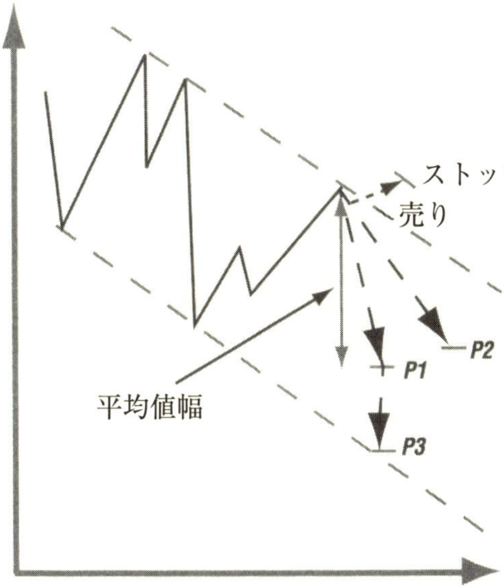

<table>
<tr><th colspan="5">テンプレート19.7</th></tr>
<tr><td>相場状況</td><td colspan="4">１時間足および日足チャート上で傾斜チャネルが形成されていることが識別できる</td></tr>
<tr><td>推奨通貨ペア</td><td colspan="4">全主要通貨ペアとクロス</td></tr>
<tr><td>トレードの性質</td><td colspan="4">随意選択</td></tr>
<tr><td>仕掛けのポイント</td><td colspan="4">下降チャネルの下方境界線または上昇チャネルの上方境界線に近づいたときに仕掛ける（ポジションはチャネルの内側への方向で建てなければならない）</td></tr>
<tr><td>仕掛けのタイミング</td><td colspan="4">いつでも</td></tr>
<tr><td>仕掛け注文の種類</td><td colspan="4">指値注文または成り行き注文</td></tr>
<tr><td>ストップを置く場所</td><td colspan="4">近いほうの境界線のすぐ外側（10～20ピップス）</td></tr>
<tr><td>ストップ執行時にドテン</td><td colspan="4">推奨しない（ほかのテクニカル的な理由が存在しないかぎり）</td></tr>
<tr><td>ターゲット（任意選択）</td><td>平均値幅（P1）</td><td>当日の終値（P2）</td><td>反対側の境界線（P3）</td><td>チャネルの内側にあるその他のテクニカル水準</td></tr>
<tr><td>想定利益</td><td colspan="4">特になし</td></tr>
<tr><td>勝率評価</td><td colspan="4">平均</td></tr>
<tr><td>リスク評価</td><td colspan="4">平均</td></tr>
<tr><td>損益比率</td><td colspan="4">プラス</td></tr>
<tr><td>有利な要素</td><td colspan="4">特になし</td></tr>
<tr><td>不利な要素、リスク、アドバイス</td><td colspan="4">特になし</td></tr>
<tr><td>その他の注意、アドバイス、ヒント</td><td colspan="4">このトレードはポジションが現行中期トレンドの方向で建てられている場合、ターゲットを１日の平均値幅の外にあるテクニカル水準に置くことによって長期ポジションへ転換することもできる。下降チャネルのサポートまたは上昇チャネルのレジスタンスに達しない場合、真の反転が予期できる。このテンプレートで説明するトレードは、現行トレンドとは逆の逆バリトレードであるため、利益はできるだけ早めに確定したほうがいい</td></tr>
</table>

図19.7a

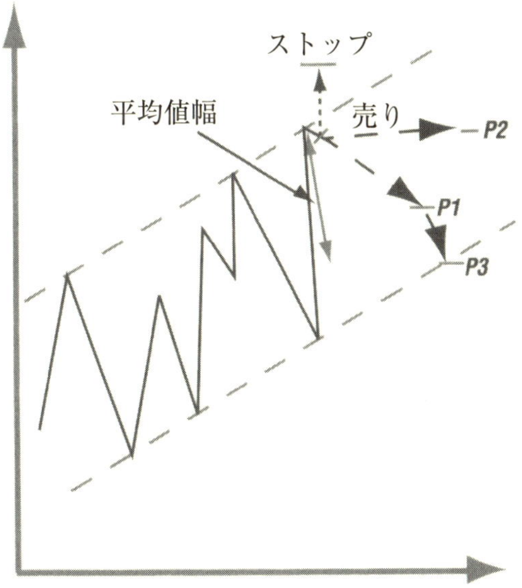

図19.7b

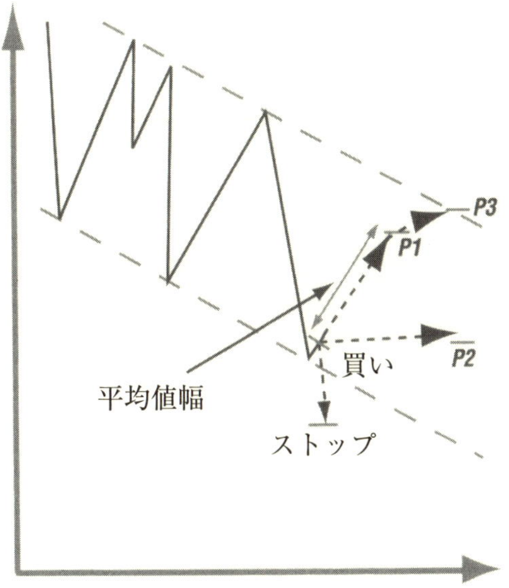

テンプレート19.8			
相場状況	1時間足および日足チャート上で傾いたチャネルが形成されていることが識別できる。このトレードはテンプレート19.6で説明したトレードの続きになる（ストップが執行され、ポジションがドテンされた場合）。単独でトレードすることもでき、このようなチャネルの境界線のブレイクが仕掛けのシグナルになる		
推奨通貨ペア	全主要通貨ペアとクロス		
トレードの性質	基本（保守的）		
仕掛けのポイント	上昇チャネルの下方境界線または下降チャネルの上方境界線のブレイクで仕掛ける		
仕掛けのタイミング	いつでも		
仕掛け注文の種類	仕掛けのストップ注文		
ストップを置く場所	当日レンジの反対側（十分に近い場合）	当時レンジ内のその他のテクニカル水準	
ストップ執行時にドテン	当日レンジの反対側で推奨する（自動仕掛けストップ注文）		
ターゲット（任意選択）	平均値幅（P1）	当日の終値（P2）	その他
想定利益	特になし		
勝率評価	高い		
リスク評価	低い		
損益比率	中立からプラス		
有利な要素	特になし		
不利な要素、リスク、アドバイス	特になし		
その他の注意、アドバイス、ヒント	このトレードはそのポジションが現行中期トレンドの方向で建てられている場合、ターゲットを1日の平均値幅の外にあるテクニカル水準に置くことによって長期ポジションに転換することもできる。このケースでは、ポジションがトレンド転換の可能性を示すシグナル発生後に建てられているため、長期保持が可能かもしれない		

図19.8a

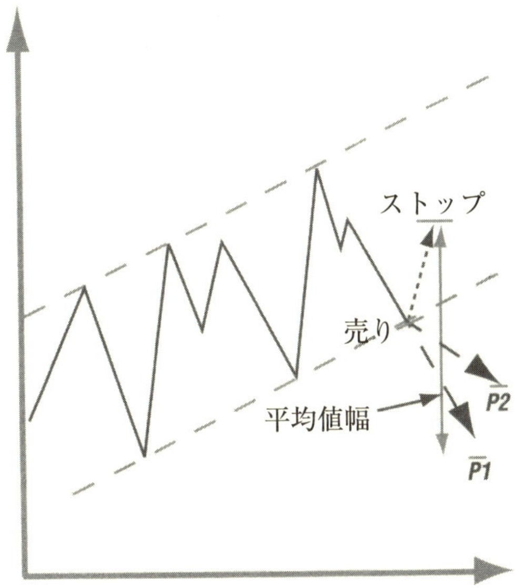

図19.8b

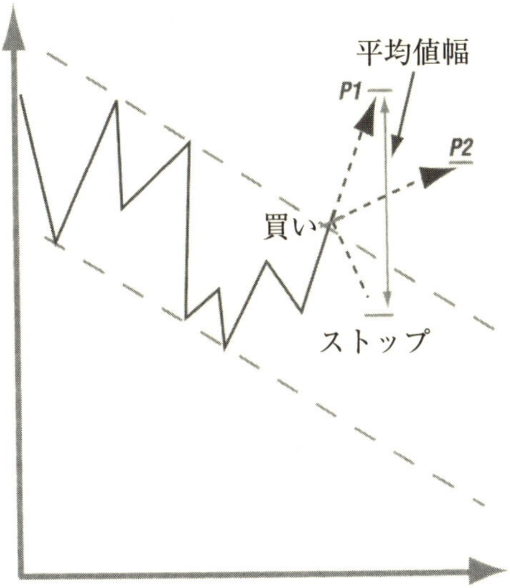

テンプレート19.9				
相場状況	日中または日足チャート上でトライアングルが形成されていることが識別できる			
推奨通貨ペア	全主要通貨ペアとクロス			
トレードの性質	基本（保守的）			
仕掛けのポイント	トライアングルのいずれかの境界線のブレイクで仕掛ける			
仕掛けのタイミング	いつでも			
仕掛け注文の種類	仕掛けのストップ注文			
ストップを置く場所	トライアングルの反対側の境界線（十分に狭い場合）	当日のレンジの反対側の境界線（十分に近い場合）	当日のレンジ内のその他のテクニカル水準（選択肢#2が許容リスク水準を超えている場合）	その他
ストップ執行時にドテン	ケース１とケース２の場合に推奨する（自動の仕掛けストップ注文）			
ターゲット（任意選択）	平均値幅（P1）	当日の終値（P2）	その他	
想定利益	特になし			
勝率評価	高い			
リスク評価	低い			
損益比率	中立からプラス			
有利な要素	このトレードはトライアングルを識別してトレードプランを作成する時間が十分にあるので、事前に計画しやすい。また、ダマシのブレイクは本当のブレイクとほぼ同様に好機であり、次の動きとして反対方向を選ぶ相場の意図を表している。それは次のトレードの計画にとっても重要だ			
不利な要素、リスク、アドバイス	特になし			
その他の注意、アドバイス、ヒント	トライアングルの境界線への４回目の接触後にブレイクが起こることが多いことを覚えておくこと。トライアングルが十分に大きい場合、このトレードは、ターゲットを１日の平均値幅の外にあるテクニカル水準に置くことによって長期ポジションに転換することができる			

図19.9a

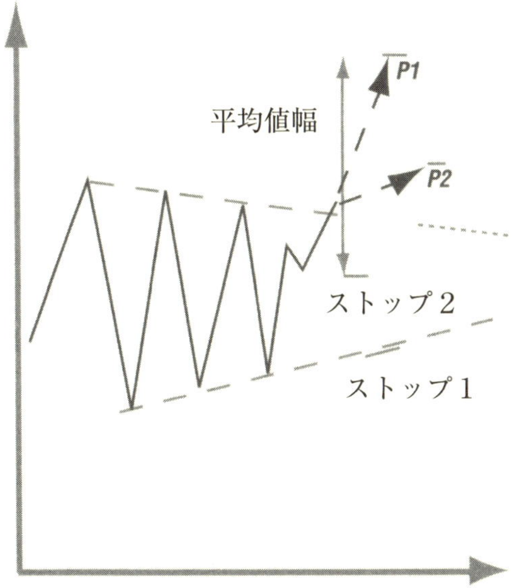

図19.9b

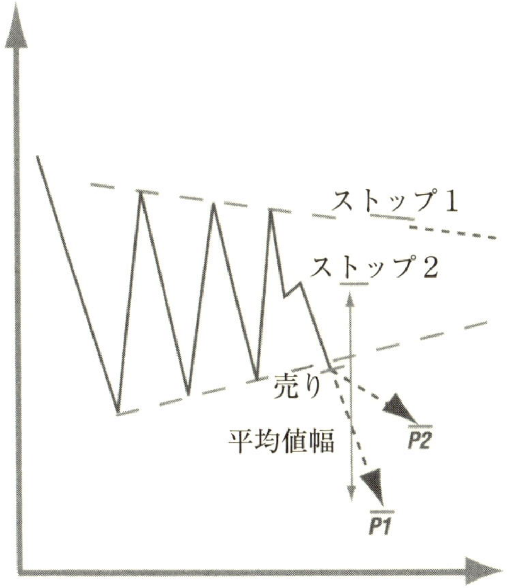

テンプレート19.10			
相場状況	1時間足または日足チャート上でトライアングルが形成されつつあることが識別できる。識別できるという判断は、トライアングルのいずれかの境界線がすでに完全に形成されている場合のみ下すことができる。「完全に」とは、トライアングルの1つの境界線が3つ以上の重要なポイント（高値または安値）を通過して描くことができ、もうひとつの境界線上に2つの重要なポイントがあることを意味する。この条件に基づき、そのパターンが近い将来にトライアングルになると推測できる		
推奨通貨ペア	全主要通貨ペアとクロス		
トレードの性質	絶好の機会		
仕掛けのポイント	トライアングルの2つめの辺（境界線）へ3回目の接触をすると予想されるポイントで仕掛ける。ポジションはトライアングルの内側への方向で建てなければならない		
仕掛けのタイミング	いつでも		
仕掛け注文の種類	指値注文または成り行き注文		
ストップを置く場所	トライアングルを構成している近いほうの境界線の外側20ピップス		
ストップ執行時にドテン	推奨する（自動の仕掛けストップ注文）		
ターゲット（任意選択）	平均値幅（P1）	当日の終値（P2）	トライアングルの反対側の境界線（P3）
想定利益	特になし		
勝率評価	平均		
リスク評価	平均		
損益比率	プラス		
有利な要素	このトレードはまだ形成過程であってもトライアングルを識別する時間が十分にあるので、事前に計画しやすい		
不利な要素、リスク、アドバイス	特になし		
その他の注意、アドバイス、ヒント	ストップが執行されてポジションをドテンした場合、最初の損失を遅かれ早かれ取り戻せる公算は高い。また、トライアングルの境界線への4回目の接触後にブレイクが起こることが多いことを覚えておかなければならない。このトレードはトライアングルが十分に大きい場合、ターゲットを1日の平均値幅の外にあるテクニカル水準に置くことによって長期ポジションに転換することもできる		

図19.10a

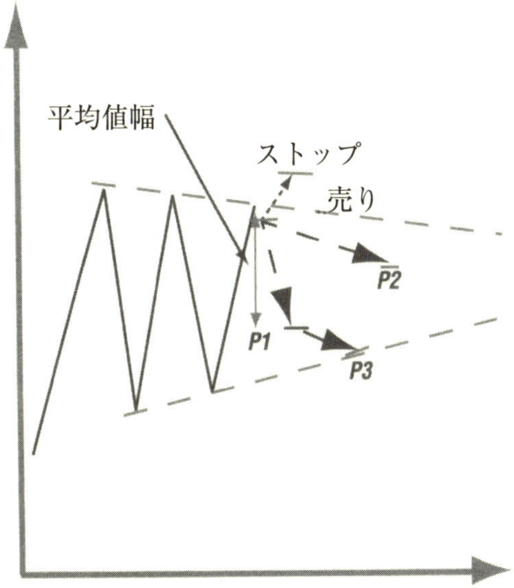

図19.10b

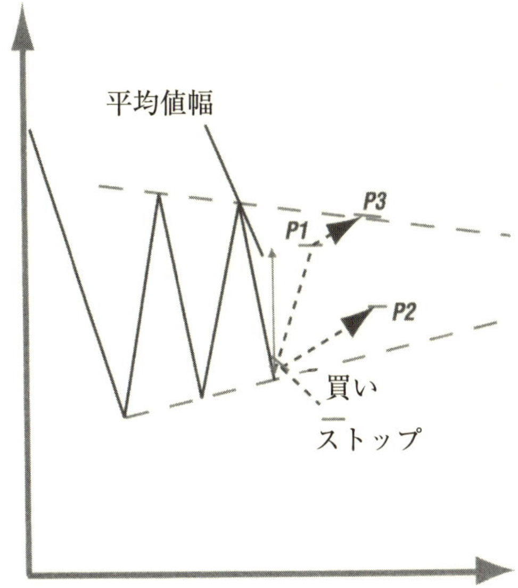

テンプレート19.11				
相場状況	日中足または日足チャート上でダイヤモンドが形成されていることが識別できる。ダイヤモンドは２つのトライアングルの合体と見ることができるため、アドバイスは普通のトライアングルの場合と基本的に同じになる（テンプレート19.9を参照）			
推奨通貨ペア	全主要通貨ペアとクロス			
トレードの性質	基本（保守的）			
仕掛けのポイント	ダイヤモンドのいずれかの辺（境界線）のブレイクで仕掛ける			
仕掛けのタイミング	いつでも			
仕掛け注文の種類	仕掛けのストップ注文			
ストップを置く場所	トライアングルの反対側の境界線（十分に狭い場合）	当日のレンジの反対側（十分に近い場合）	当日のレンジ内のその他のテクニカル水準（選択肢#2が許容リスク水準外である場合）	その他
ストップ執行時にドテン	ケース１とケース２の場合に推奨（自動仕掛けストップ注文）			
ターゲット（任意選択）	平均値幅（P1）	当日の終値（P2）	その他	
想定利益	特になし			
勝率評価	高い			
リスク評価	低い			
損益比率	中立からプラス			
有利な要素	このトレードはトライアングルを識別して十分なトレードプランを作成する時間が十分にあるので、事前に計画しやすい。また、ダマシのブレイクは本当のブレイクとほぼ同様に好機であり、次の動きとして反対方向を選ぶ相場の意図を表している。これは次のトレードの計画にとっても重要だ			
不利な要素、リスク、アドバイス	特になし			
その他の注意、アドバイス、ヒント	ダイヤモンドはめったに現れないフォーメーションだ。左半分はトレーダーにとって大惨事になり得る。なぜなら、完成するまで識別がきわめて困難であり、トレードするにはあまりに難しい拡大トライアングルだからだ。右半分はずっと簡単で、ダイヤモンドでのトレードに何らかの問題は生じないはずだ。ダイヤモンドの右半分の境界線への４回目の接触後にブレイクがよく起こることを覚えておく必要がある。このトレードは、ダイヤモンドが十分に大きい場合、ターゲットを１日の平均値幅の外にあるテクニカル水準に置くことによって長期ポジションへ転換することもできる			

図19.11a

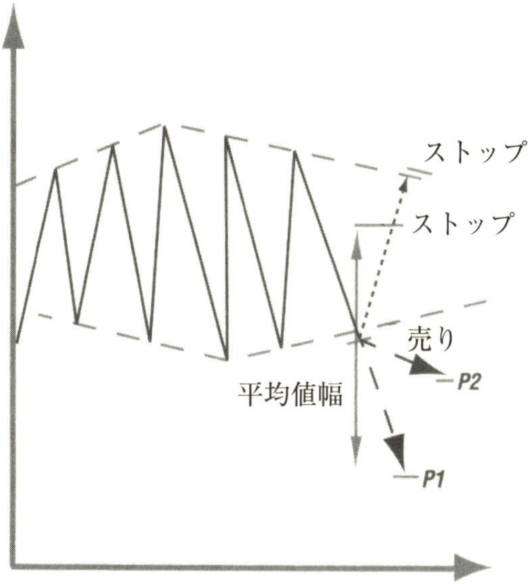

図19.11b

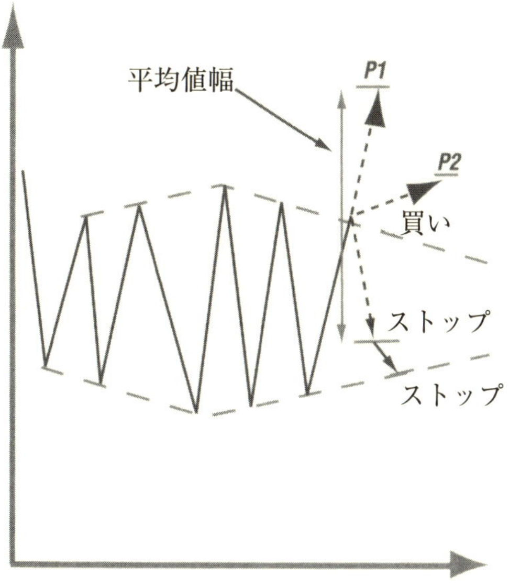

テンプレート19.12			
相場状況	1時間足または日足チャート上でダイヤモンドが形成されつつあることが識別できる。識別できるという判断は、ダイヤモンドの左部分がすでに完成しており（それはほかならぬ拡大トライアングル）、右部分が形成中である場合にのみ下すことができる。右部分は、ふつうのトライアングルだ。そのため、トレードの方法は、通常のトライアングルの場合とほぼ同じになる		
推奨通貨ペア	全主要通貨ペアとクロス		
トレードの性質	絶好の機会		
仕掛けのポイント	トライアングルの2つめの境界線（ダイヤモンドの右部分）への3回目の接触が起こると予想されるポイントで仕掛ける。ポジションはトライアングルの内側への方向で建てなければならない		
仕掛けのタイミング	いつでも		
仕掛け注文の種類	指値注文または成り行き注文		
ストップを置く場所	トライアングルを構成している近い方の境界線の外側20ピップス		
ストップ執行時にドテン	推奨する（自動の仕掛けストップ注文）		
ターゲット（任意選択）	平均値幅（P1）	当日の終値（P2）	ダイヤモンドの反対側の境界線（P3）
想定利益	特になし		
勝率評価	平均		
リスク評価	平均		
損益比率	プラス		
有利な要素	このトレードは、形成過程にあるトライアングルでもそれを識別する時間が十分にあるので、事前に計画しやすい		
不利な要素、リスク、アドバイス	特になし		
その他の注意、アドバイス、ヒント	ストップが執行されてポジションがドテンされた場合、最初の損失は遅かれ早かれ取り戻せる公算が高い。また、トライアングルの境界線への4回目の接触後にブレイクが起こることが多いことを覚えておかなければならない。このトレードは、トライアングルが十分に大きい場合、ターゲットを1日の平均値幅の外にあるテクニカル水準に置くことによって長期ポジションに転換することもできる		

図19.12a

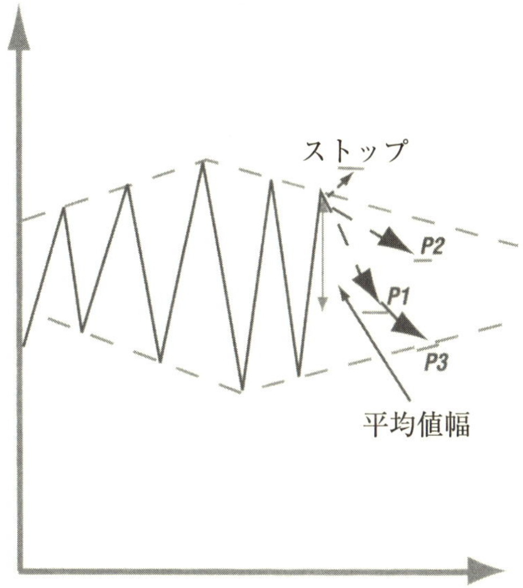

図19.12b

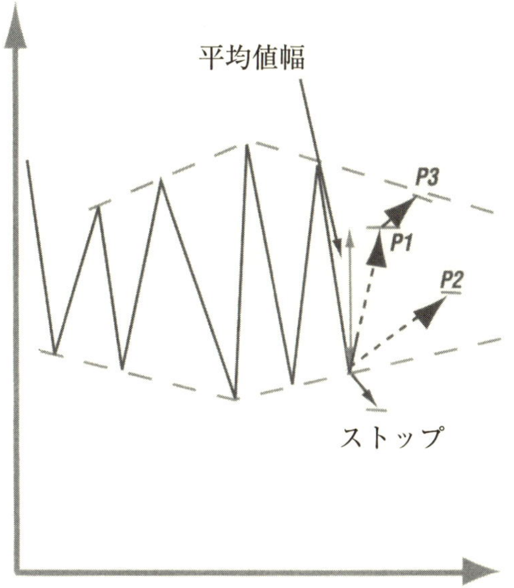

テンプレート19.13	
相場状況	1時間足または日足チャート上でヘッド・アンド・ショルダーズ（または逆ヘッド・アンド・ショルダーズ）の左ショルダー、ヘッド、そして右ショルダーの左半分と見られる足形がほぼ形成されている。1時間足と日足チャートで識別できる場合に最もうまく機能する
推奨通貨ペア	全主要通貨ペアとクロス
トレードの性質	絶好の機会
仕掛けのポイント	2つ目のショルダーの天井または底が形成されると予想されるポイントで仕掛ける
仕掛けのタイミング	いつでも
仕掛け注文の種類	指値注文または成り行き注文
ストップを置く場所	時間枠とフォーメーションの規模による。ある程度の含み益が積み上がれば、トレーリングストップを使用することもできる
ストップ執行時にドテン	推奨しない
ターゲット（任意選択）	メジャード・オブジェクティブ（P1）
想定利益	特になし
勝率評価	平均以下
リスク評価	平均以上
損益比率	プラス
有利な要素	特になし
不利な要素、リスク、アドバイス	このトレードは事前に計画しやすい。豊かな想像力は役に立つこともあるが、過ぎたるは及ばざるがごとしにもなる。このトレードには豊富な実務経験も必要だ
その他の注意、アドバイス、ヒント	仕掛けに成功し、そのうえ大きなポジションを建てれば、利益はかなりのものになることが多い。デイトレードよりも長期のポジショントレードに向いている

図19.13a

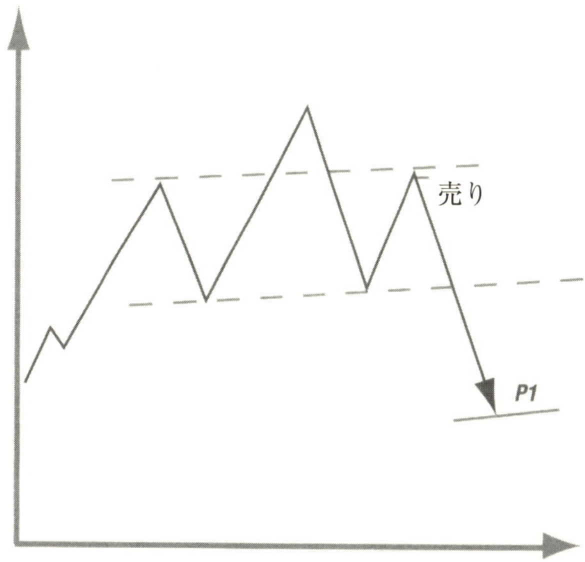

図19.13b

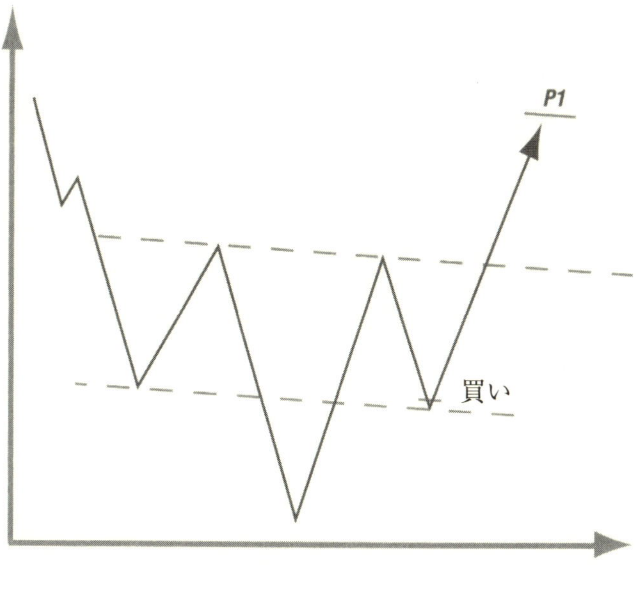

<table>
<tr><th colspan="5">テンプレート19.14</th></tr>
<tr><td>相場状況</td><td colspan="4">ヘッド・アンド・ショルダーズ（または逆ヘッド・アンド・ショルダーズ）が1時間足または日足チャート上で完全に形成されている</td></tr>
<tr><td>推奨通貨ペア</td><td colspan="4">全主要通貨ペアとクロス</td></tr>
<tr><td>トレードの性質</td><td colspan="4">古典的（教科書的）</td></tr>
<tr><td>仕掛けのポイント</td><td colspan="4">ネックラインのブレイクで仕掛ける</td></tr>
<tr><td>仕掛けのタイミング</td><td colspan="4">いつでも</td></tr>
<tr><td>仕掛け注文の種類</td><td colspan="4">仕掛けのストップ注文</td></tr>
<tr><td>ストップを置く場所</td><td colspan="2">当日レンジの反対側の境界線</td><td colspan="2">右ショルダーの天井の上か底の下</td></tr>
<tr><td>ストップ執行時にドテン</td><td colspan="4">推奨する</td></tr>
<tr><td>ターゲット（任意選択）</td><td>メジャード・オブジェクティブ（P1）</td><td>当日の終値（P2）</td><td>平均値幅（P3）</td><td>その他</td></tr>
<tr><td>想定利益</td><td colspan="4">特になし</td></tr>
<tr><td>勝率評価</td><td colspan="4">平均</td></tr>
<tr><td>リスク評価</td><td colspan="4">平均</td></tr>
<tr><td>損益比率</td><td colspan="4">プラス</td></tr>
<tr><td>有利な要素</td><td colspan="4">特になし</td></tr>
<tr><td>不利な要素、リスク、アドバイス</td><td colspan="4">特になし</td></tr>
<tr><td>その他の注意、アドバイス、ヒント</td><td colspan="4">このフォーメーションは古典的（よく知られていて簡単に認識できるという意味）だが、テクニカル分析の教科書で説明されているとおりに動くかどうかは疑問。ほかに理由がないかぎり、私はヘッド・アンド・ショルダーズのネックラインのブレイクを根拠にトレードしたりはまずしない。ただし、うまくいくこともあるので完全に無視することはできない。識別しにくいほど、勝率は高い</td></tr>
</table>

図19.14a

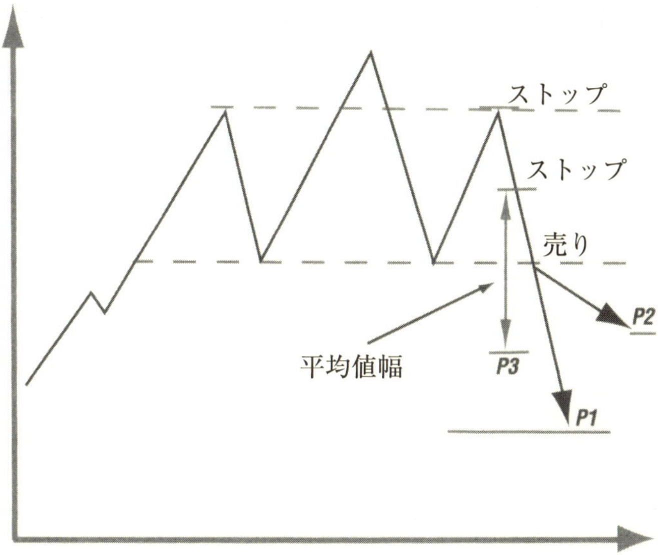

図19.14b

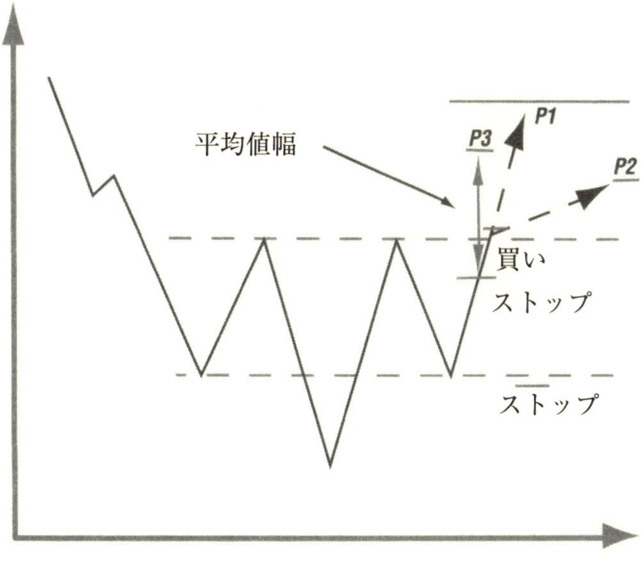

<table>
<tr><th colspan="5">テンプレート19.15</th></tr>
<tr><td>相場状況</td><td colspan="4">1時間足または日足チャート上でダブル（トリプル）トップ（ボトム）が完全に形成されている</td></tr>
<tr><td>推奨通貨ペア</td><td colspan="4">全主要通貨ペアとクロス</td></tr>
<tr><td>トレードの性質</td><td colspan="4">古典的（教科書的）</td></tr>
<tr><td>仕掛けのポイント</td><td colspan="4">ネックラインのブレイクで仕掛ける</td></tr>
<tr><td>仕掛けのタイミング</td><td colspan="4">いつでも</td></tr>
<tr><td>仕掛け注文の種類</td><td colspan="4">仕掛けのストップ注文</td></tr>
<tr><td>ストップを置く場所</td><td colspan="2">当日レンジの反対側</td><td>各トップ（ボトム）を通して描かれたラインの上（下）</td><td>その他</td></tr>
<tr><td>ストップ執行時にドテン</td><td colspan="4">推奨する</td></tr>
<tr><td>ターゲット（任意選択）</td><td>メジャード・オブジェクティブ（P1）</td><td>当日の終値（P2）</td><td>平均値幅（P3）</td><td>その他</td></tr>
<tr><td>想定利益</td><td colspan="4">特になし</td></tr>
<tr><td>勝率評価</td><td colspan="4">平均以下</td></tr>
<tr><td>リスク評価</td><td colspan="4">平均以上</td></tr>
<tr><td>損益比率</td><td colspan="4">プラス</td></tr>
<tr><td>有利な要素</td><td colspan="4">特になし</td></tr>
<tr><td>不利な要素、リスク、アドバイス</td><td colspan="4">特になし</td></tr>
<tr><td>その他の注意、アドバイス、ヒント</td><td colspan="4">ヘッド・アンド・ショルダーズと同じ。このフォーメーションも古典的なものだが、テクニカル分析の教科書に書かれているような行動パターンがそのまま現れる可能性は低い。ネックラインのブレイクでポジションを建てる理由がほかに存在しないかぎり、私はこれに基づいてトレードしたりはしない</td></tr>
</table>

図19.15a

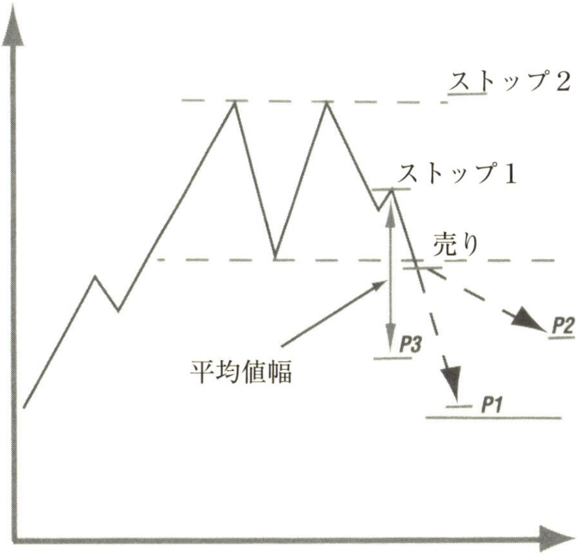

図19.15b

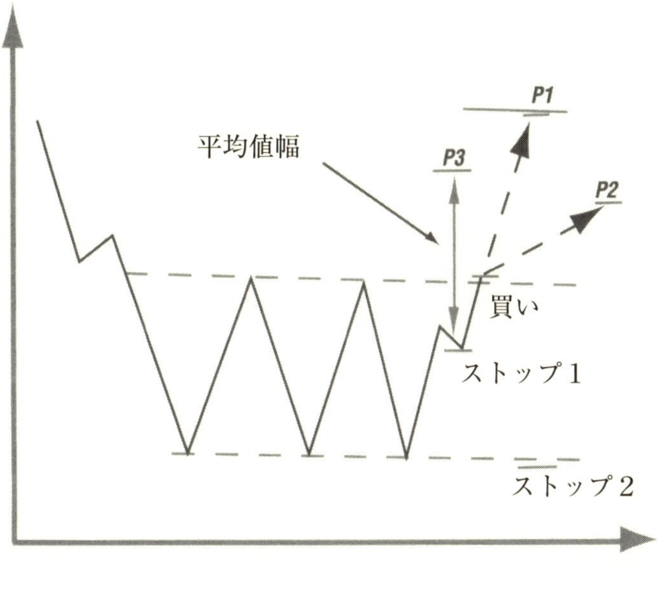

第 20 章

トレンドライン、サポート、レジスタンスに基づくテンプレート

Trendlines, Support, and Resistance Templates

この章で紹介する各テンプレートは、トレンドライン、サポート、レジスタンスに基づいている。**テンプレート20.1**から**テンプレート20.7**の各テンプレートにはそれぞれ対応する相場パターン図を付記してある。

<table>
<tr><th colspan="4">テンプレート20.1</th></tr>
<tr><td>相場状況</td><td colspan="3">日足チャート上に私が「クシ（櫛）」と呼ぶフォーメーションが形成されている（この種の短期トレンドは、日中足、日足、週足など、どんな時間枠のチャートでも見ることができる）</td></tr>
<tr><td>推奨通貨ペア</td><td colspan="3">USD/CHF、USD/JPY、EUR/USD、EUR/JPY、その他EURクロス</td></tr>
<tr><td>トレードの性質</td><td colspan="3">基本（保守的）</td></tr>
<tr><td>仕掛けのポイント</td><td colspan="3">クシの歯を一方で止めているトレンドラインのブレイクで、動きの方向でポジションを建てる――
A. 下降ラインのブレイクで買い、または
B. 上昇ラインのブレイクで売り</td></tr>
<tr><td>仕掛けのタイミング</td><td colspan="3">いつでも</td></tr>
<tr><td>仕掛け注文の種類</td><td colspan="3">仕掛けのストップ注文</td></tr>
<tr><td>ストップを置く場所（トレーダーの個人的な状況や好みで選択することはできない。マネーマネジメント原則を適用しなければならない）</td><td colspan="3">当日レンジの反対側の端（当日の直近高値の上か当日の直近安値の下）</td></tr>
<tr><td>ストップ執行時にドテン</td><td colspan="3">推奨する（ストップと同時に自動的に）</td></tr>
<tr><td>ターゲット（任意選択）</td><td>平均値幅（P1）</td><td>当日の終値（P2）</td><td>その他</td></tr>
<tr><td>想定利益</td><td colspan="3">特になし</td></tr>
<tr><td>勝率評価</td><td colspan="3">平均から高</td></tr>
<tr><td>リスク評価</td><td colspan="3">平均から低</td></tr>
<tr><td>損益比率</td><td colspan="3">プラス</td></tr>
<tr><td>有利な要素</td><td>ポジションが中期トレンドの方向で建てられた</td><td colspan="2">ポジションが前日の主な動きの方向で建てられた</td></tr>
<tr><td>最も不利な要素、リスク、アドバイス</td><td>リスク#1――ポジションが中期トレンドと逆の方向で建てられた
リスク#2――ポジションが前日の主な動きと逆の方向で建てられた</td><td colspan="2">アドバイス#1――ストップを近くへ移動し、当日の直近高値の上か当日の直近安値の下に置く
アドバイス#2――上記と同じ</td></tr>
</table>

図20.1 a

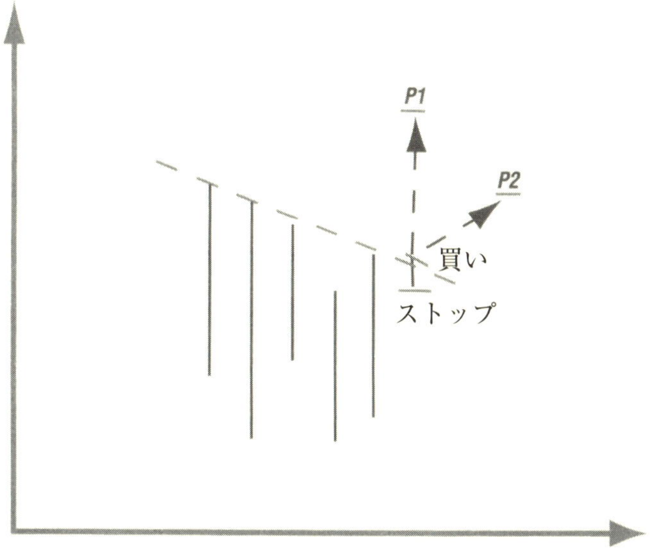

図20.1 b

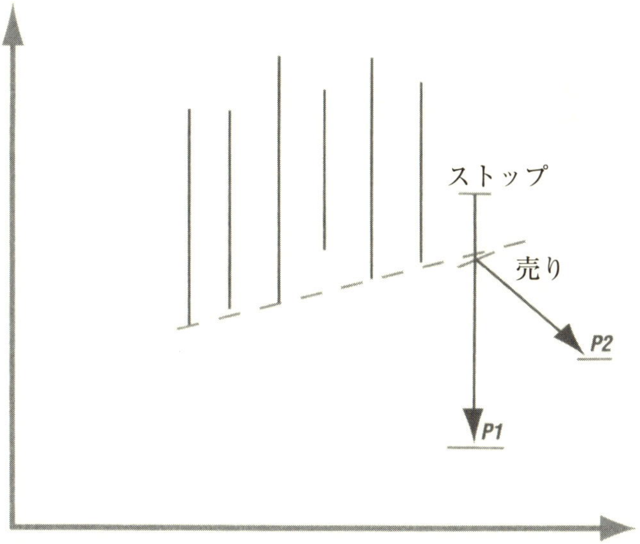

テンプレート20.2			
相場状況	日中チャート上にクシのフォーメーションが形成されている		
推奨通貨ペア	USD/CHF、USD/JPY、一部のEURクロス		
トレードの性質	随意選択（リスクを伴う）		
仕掛けのポイント	ラインのブレイクで仕掛ける		
仕掛けのタイミング	いつでも		
仕掛け注文の種類	仕掛けのストップ注文		
ストップを置く場所	当日のレンジの反対側	最も近いテクニカル水準	その他
ストップ執行時にドテン	推奨する		
ターゲット（時間枠による）	当日の終値（P1）	平均値幅（P2）	その他
想定利益	特になし		
勝率評価	平均		
リスク評価	平均		
損益比率	ゼロ		
有利な要素	A.　ポジションが当日の主な動きの方向で建てられた B.　当日の新安値や新高値を付けるのと同時にラインのブレイクが起こった		
最も不利な要素、リスク、アドバイス	特になし		
その他の注意、アドバイス、ヒント	クシに基づくデイトレードには多少問題がある。限定された時間と相場空間でのトレードは常に困難であるため、ポジションを建てるのは、ほかに何らかのテクニカルな理由がある場合にしたほうがいい。だが、適切なタイミングで利食えば、きわめてうまくいくこともある		

図20.2 a

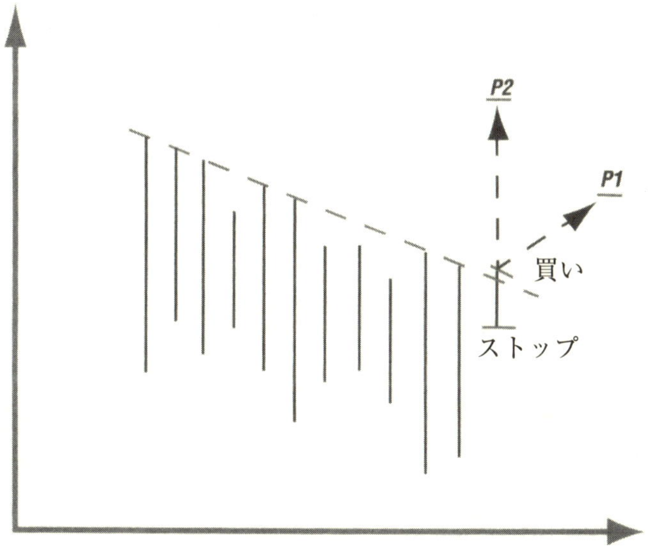

図20.2 b

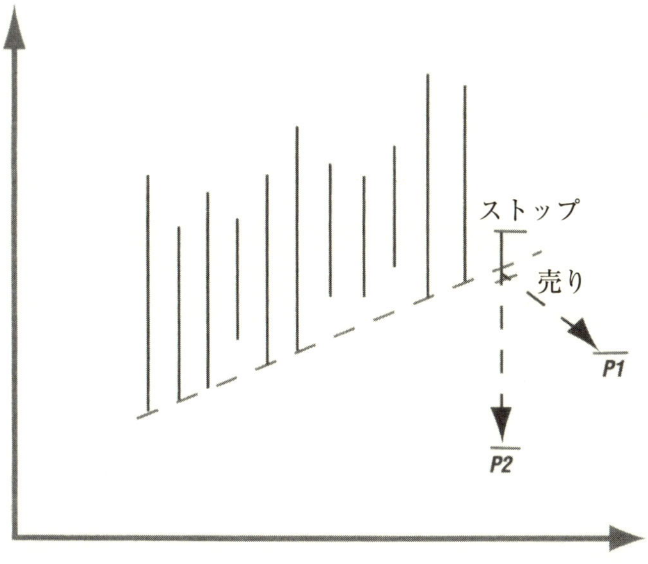

テンプレート20.3

相場状況	日足チャート上で水平面が形成されている		
推奨通貨ペア	全主要通貨ペアとクロス		
トレードの性質	随意選択		
仕掛けのポイント	水平面のブレイクで仕掛ける		
仕掛けのタイミング	いつでも		
仕掛け注文の種類	仕掛けのストップ注文		
ストップを置く場所	当日レンジの反対側	その他のテクニカル水準	
ストップ執行時にドテン	可能		
ターゲット	当日の終値（P1）	平均値幅（P2）	その他
想定利益	特になし		
勝率評価	平均		
リスク評価	平均		
損益比率	ゼロ		
有利な要素	特になし		
最も不利な要素、リスク、アドバイス	特になし		
その他の注意、アドバイス、ヒント	ポジションが現行中期トレンドの方向で建てられている場合のほうが有望。また、何らかのほかの要因がこのトレードのアイデアを支持していなければならない。だが、デイトレードを前提とすれば、利益を稼げるチャンスは十分にある。増し玉をして、利益を積み増すのにも使える		

図20.3a

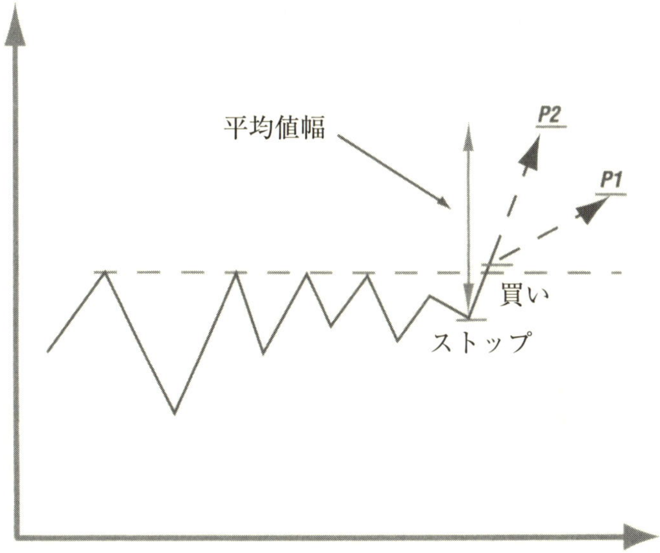

図20.3b

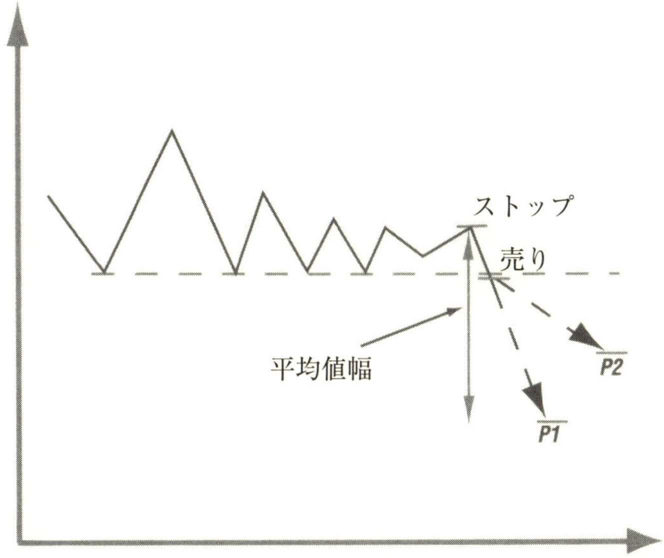

テンプレート20.4			
相場状況	日中足チャート上で水平面が形成されている		
推奨通貨ペア	全主要通貨ペアとクロス		
トレードの性質	基本		
仕掛けのポイント	水平面のブレイクで仕掛ける		
仕掛けのタイミング	いつでも		
仕掛け注文の種類	仕掛けのストップ注文		
ストップを置く場所	当日レンジの反対側	その他のテクニカル水準	
ストップ執行時にドテン	推奨する		
ターゲット	当日の終値（P1）	平均値幅（P2）	その他
想定利益	特になし		
勝率評価	平均		
リスク評価	平均		
損益比率	中立		
有利な要素	特になし		
最も不利な要素、リスク、アドバイス	特になし		
その他の注意、アドバイス、ヒント	ポジションが現行の動きの方向で建てられた場合のほうが有望。その方向への動きが当日中に起こる可能性が高い。デイトレードを前提にすれば、利益が得られるチャンスは十分にある。増し玉をして、利益を積み増すのにも使える		

図20.4ａ

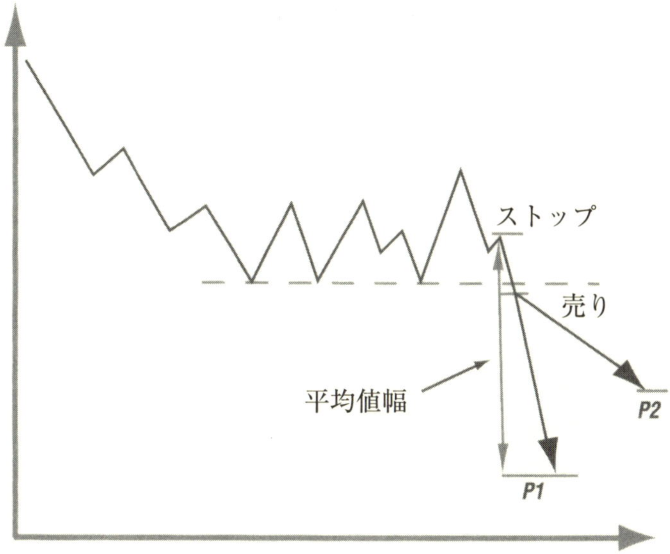

図20.4ｂ

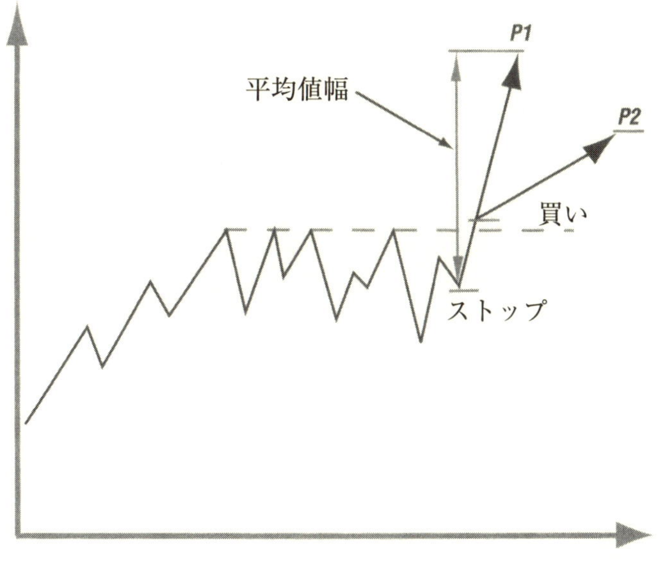

テンプレート20.5			
相場状況	相場が２つ以上の絶対的な天井や底を通して描かれている主要なトレンドラインに近づいている（トレンドラインの一方にすべての値が存在し、もう一方の側は完全に空白になっていなければならない）。**サポートとして機能している上昇トレンドラインまたはレジスタンスとして機能している下降トレンドラインへ近づいているときにのみ仕掛けることができる**		
推奨通貨ペア	全主要通貨ペアとクロス		
トレードの性質	基本		
仕掛けのポイント	動きとは逆の方向で、トレンドラインの5～10ピップス手前で仕掛ける		
仕掛けのタイミング	いつでも		
仕掛け注文の種類	指値注文または成り行き注文		
ストップを置く場所	トレンドラインの向こう側		
ストップ執行時にドテン	推奨する（トレーリングストップを使用することもできる）		
ターゲット	当日の終値（P1）	平均値幅（P2）	その他のテクニカルなポイントまたは理由
想定利益	特になし		
勝率評価	平均以上		
リスク評価	平均以下		
損益比率	プラス		
有利な要素	特になし		
最も不利な要素、リスク、アドバイス	特になし		
その他の注意、アドバイス、ヒント	トレンドラインに接するポイントの数が多くなるほど、勝つ可能性は低くなる。私はラインへの３回目または（最大で）４回目の接近時にこのテンプレートに基づきトレードするのを好む。4回目の接近では、ライン手前での相場の迷いを利用して、利益を早めに確定するようにしている		

図20.5ａ

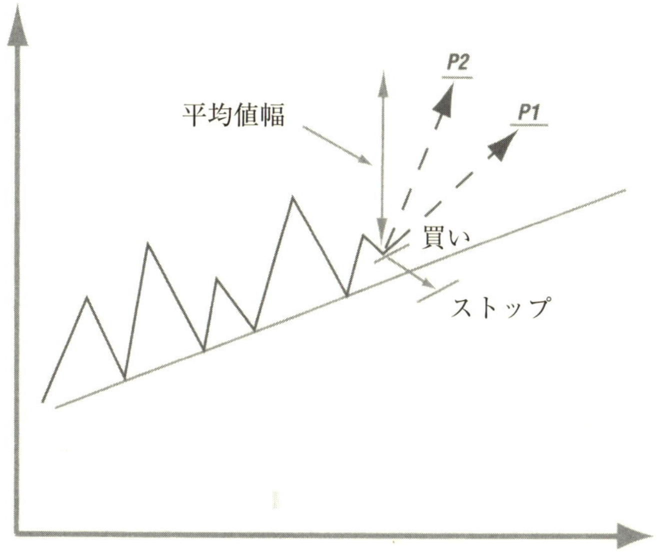

図20.5ｂ

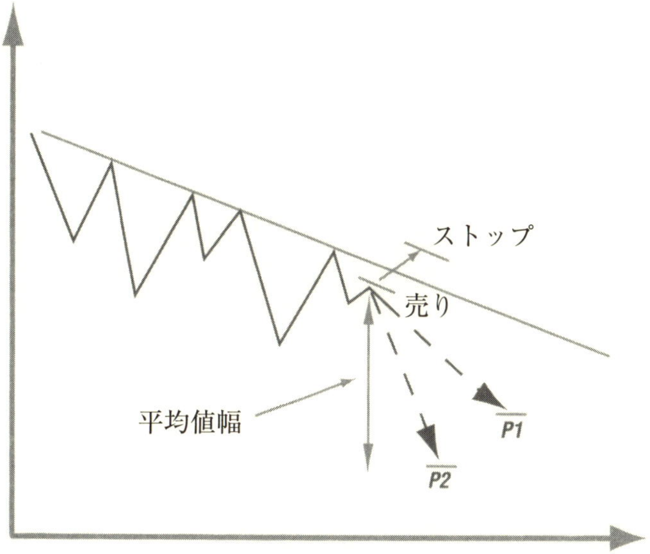

テンプレート20.6			
相場状況	3個以上の絶対的な天井や底を通して描かれた主要トレンドラインがブレイクされる（トレンドラインの一方にすべての値が存在し、もう一方の側は完全に空白になっていなければならない）。**サポート的な上昇トレンドラインまたはレジスタンス的な下降トレンドラインへ近づいているときにのみ仕掛けることができる**		
推奨通貨ペア	全主要通貨ペアとクロス		
トレードの性質	基本		
仕掛けのポイント	トレンドラインをブレイク後5～10ピップスで動きの方向で仕掛ける		
仕掛けのタイミング	いつでも		
仕掛け注文の種類	仕掛けのストップ注文		
ストップを置く場所	当日のレンジの反対側	その他のテクニカル水準	
ストップ執行時にドテン	推奨する（トレーリングストップを使用することもできる）		
ターゲット	当日の終値（P1）	平均値幅（P2）	その他のテクニカルポイント
想定利益	特になし		
勝率評価	平均以上		
リスク評価	平均以下		
損益比率	プラス		
有利な要素	特になし		
最も不利な要素、リスク、アドバイス	特になし		
その他の注意、アドバイス、ヒント	トレンドラインに接するポイントの数が多くなるほど、勝つ可能性は高くなる。私はトレンドラインへの4回目以降の接近時にこのテンプレートに基づきトレードするのを好む。このようなラインは、トレンド変化の可能性を示唆しており、長期のポジショントレードへ転換することもできる		

図20.6 a

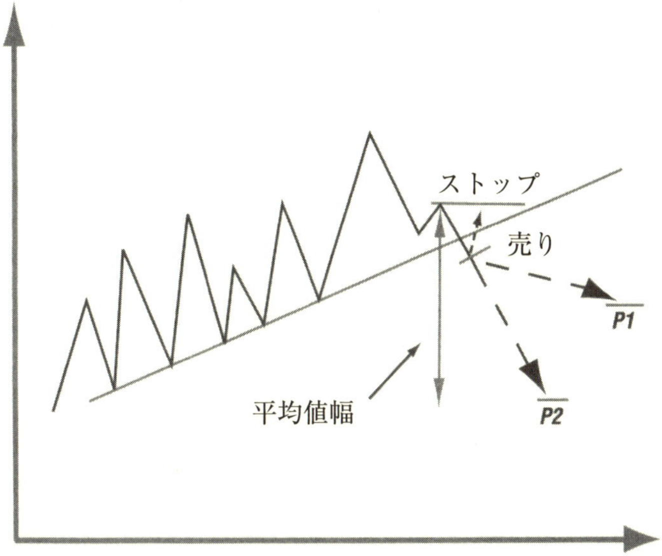

図20.6 b

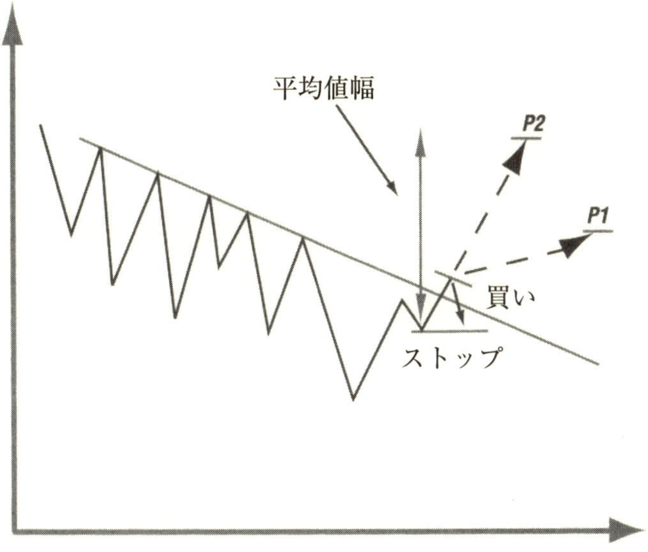

テンプレート20.7			
相場状況	過小評価されている通貨を支えるために中央銀行が介入している		
推奨通貨ペア	過小評価されている通貨とそのすべてのクロス		
トレードの性質	絶好の機会		
仕掛けのポイント	仕掛けストップを使用して動きの方向で急いで仕掛ける		
仕掛けのタイミング	いつでも		
仕掛け注文の種類	仕掛けのストップ注文		
ストップを置く場所	当日レンジの反対側	その他のテクニカル水準	
ストップ執行時にドテン	推奨しない		
ターゲット	当日の終値（P1）	その他のテクニカルポイント（P2）	100～300ピップス（P3）
想定利益	100ピップス以上		
勝率評価	非常に高い		
リスク評価	非常に低い		
損益比率	プラス		
有利な要素	特になし		
不利な要素、リスク、アドバイス	特になし		
その他の注意、アドバイス、ヒント	介入は過小評価されている通貨を支えるために実施されることが多い。常に為替レートのトレンドとほとんどの直近の動きに対抗して実施されるため、当日の高値から50～60ピップス下げたらすぐに、その高値のうえに仕掛けのストップ注文を置いてトレードを開始する。下げに応じてトレーリングストップを使用できる。安値に対して60～100ピップスの幅で移動させていくことが必要だ。介入が開始され、それを確認したら、トレーリングストップを使用して含み益を守り、予期しない損失を避けることができる		

図20.7ａ

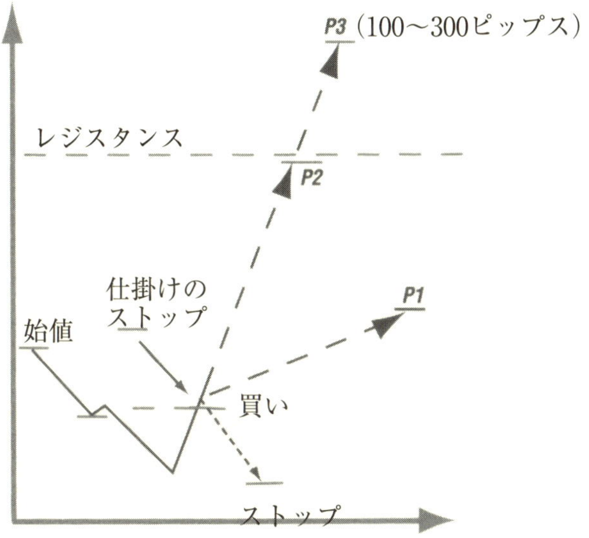

第21章
サンプルトレード
A Sample Trade

このパート5にかぎらず、本書全体を通して結論めいたことは書かないつもりだった。だが、本書で説明したテンプレートのポテンシャルとパワー、それにイグロックメソッドに関するその他の考え方やアイデアを明確に体現する完璧な実例が最近相場に現実に現れた。**図21.1**に示す実際の相場は、本書で説明したトレードアイデアを実際のトレードに適用するタイミングと方法を、より明確に理解する助けになると思う。見て分かるように、その日は何種類かのトレード機会だけではなく、トレーダーのスタイルと好みに応じて、どのトレードシグナルを受け入れ、どれを無視するかという選択肢をトレーダーに与えている。

このチャート上では、当日の開始時（オープン）からアジアタイムにかけて幅の狭い水平のチャネルが形成されている。それから、チャネルの上方境界線をブレイクするという、**テンプレート19.2**に従ってブレイクの方向で仕掛け、そこそこの利益を手早く手に入れる機会が生まれた。利益を素早く確定する必要があるリスクを伴うトレードを避けたいトレーダーには向かないが、そういう保守的なトレーダーにも適した機会が別にあった。相場が始値から一方向にだけに動いていたので、**テンプレート18.2**に従って仕掛ける機会があった。このトレード機会もあまり気が進まなかったとしても、別のトレード機会

図21.1

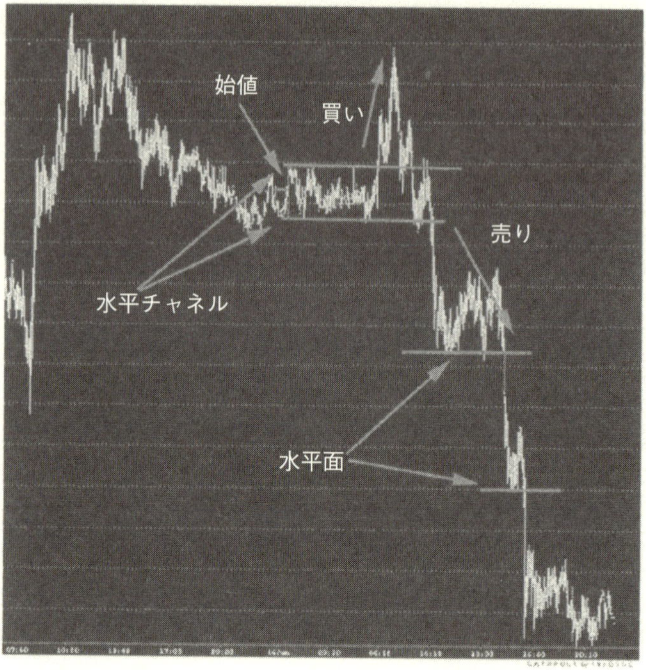

がすぐに現れた。直近レンジの安値のブレイクでの仕掛けは、**テンプレート19.1**、**テンプレート18.2**、**テンプレート20.4**、さらには**テンプレート18.1**の４つ（！）のテンプレートで推奨されている。

そして、本書で説明したその他のいくつかの発想やアイデアを確認する「旅」が始まった。

１つ目に、下降の過程で、少なくとも３つの水平底が形成されている。その各々が、その方向への動きが続く可能性が高いことを示唆している。

２つ目に、見て分かるように、当日の主な動きと逆の方向ではポジションを絶対に建てないというアイデアも確認されている。なぜなら、底値拾いをしていたらパワフルな動きによって相場から追い出されていた可能性が高いからだ。当日の主な動きに逆らうトレードは絶対に割に合わない。このような状況では、相場が反転するタイミングを見極めることはきわめて難しい（不可能に近い）のが普通だ。ここまでのすべてのトレードシグナルと機会を見過ごした場合は、トレードシグナルもないのに底をつかもうなどと考えず、相場から手を引き、翌日出直したほうがいい。

３つ目に、ポジションをどこで仕掛け、どこで利食いをしたかはあまり重要ではない。どうであったとしても、いずれかのテンプレートに従ってトレード戦略を選択していれば、少なくとも70～80ピップス、うまくいけば200～300ピップスの利益を手にできたはずだ。だが、この実例の本当に重要なところは、この日の相場を典型的な相場と考えることができることだ。その行動パターンは標準的であり、頻繁に見ることができる（もちろん、いくつかの些細な差異はあるが）。テンプレートを使用すれば、ストレスもなく、事前に将来の動きを予測する必要もなしに、トレードを行う完璧な機会が得られる。トレードシグナルに対するシンプルな反応とトレードテンプレートに記された基本的なテクニックで完璧なトレードが構成される。ほかのどんなトレード方法よりも大きな優位性をトレーダーに与えるだろう。

■著者紹介

イゴール・トシュチャコフ［L・A・イグロック］
(IGOR TOSHCHAKOV[L.A.IGROK])

トレーダー、マネーマネジャー、オンライントレード学校（http://www.igrokforex.com/）と投資顧問会社イグロック・トレーディング・インターナショナルの創設者。同校は2000年の開校以来さまざまなオンラインコースを通じて多数のトレーダーを育成している。現在さまざまな事業体のためにいくつかのポートフォリオを運用中。イグロック・トレーディング・インターナショナルは「C」および「D」シェアクラスに関する「ミナ・キャピタル」ファンズ・オブ・ファンズの専門顧問会社。

■訳者紹介

古河みつる（ふるかわ・みつる）

慶応義塾大学卒、南カリフォルニア大学MBA。（有）フルクサス代表。訳書に『マベリック投資法』『くそったれマーケットをやっつけろ！』『ターナーの短期売買入門』『オニールの相場師養成講座』『トレンドフォロー入門』『ロビンスカップの魔術師たち』『FXトレーディング』（パンローリング）ほか。

2007年９月４日　初版第１刷発行
2007年10月３日　　第２刷発行
2008年２月５日　　第３刷発行
2009年３月３日　　第４刷発行
2009年10月２日　　第５刷発行
2010年３月３日　　第６刷発行
2012年２月１日　　第７刷発行
2017年11月５日　　第８刷発行

ウィザードブックシリーズ⑫③

実践FXトレーディング

勝てる相場パターンの見極め法

著　者　イゴール・トシュチャコフ（L・A・イグロック）
訳　者　古河みつる
発行者　後藤康徳
発行所　パンローリング株式会社
〒160-0023　東京都新宿区西新宿 7-9-18-6F
TEL 03-5386-7391　FAX 03-5386-7393
http://www.panrolling.com/
E-mail　info@panrolling.com
編　集　エフ・ジー・アイ（Factory of Gnomic Three Monkeys Investment）合資会社
装　丁　パンローリング装丁室
組　版　パンローリング制作室
印刷·製本　株式会社シナノ

ISBN978-4-7759-7089-8

マーケットの魔術師に学ぶ

ウィザードブックシリーズ19

マーケットの魔術師

著者：ジャック・D・シュワッガー

オーディオブックも絶賛発売中!!

定価 本体 2,800 円＋税　ISBN:9784939103407

世にこれほどすごいヤツたちがいるのか、ということを知らしめたウィザードシリーズの第一弾。「本書を読まずして、投資をすることなかれ」とは世界的なトップトレーダーが口をそろえて言う「投資業界での常識」である！

ウィザードブックシリーズ13

新マーケットの魔術師

著者：ジャック・D・シュワッガー

オーディオブックも絶賛発売中!!

定価 本体 2,800 円＋税　ISBN:9784939103346

知られざる“ソロス級トレーダー”たちが、率直に公開する成功へのノウハウとその秘訣。高実績を残した者だけが持つ圧倒的な説得力と初級者から上級者までが必要とするヒントの宝庫。

ウィザードブックシリーズ66

シュワッガーのテクニカル分析

著者：ジャック・D・シュワッガー

定価 本体 2,900 円+税　ISBN:9784775970270

あの『新マーケットの魔術師』のシュワッガーが、これから投資を始める人や投資手法を立て直したい人のために書き下ろした実践チャート入門。

ウィザードブックシリーズ134

新版 魔術師たちの心理学

著者：バン・K・タープ

定価 本体 2,800円+税　ISBN:9784775971000

儲かる手法（聖杯）はあなたの中にあった!!あなただけの戦術・戦略の編み出し方がわかるプロの教科書！「勝つための考え方」「期待値でトレードする方法」「ポジションサイジング」の奥義が明らかになる！

自然の法則で相場の未来がわかる！

ウィザードブックシリーズ146

フィボナッチ逆張り売買法

著者：ラリー・ペサベント　レスリー・ジョウフラス

定価 本体 5,800円+税　ISBN:9784775971130

従来のフィボナッチ法とは一味違う!!フィボナッチ比率で押しや戻りを予測して、トレードする！デイトレード（5分足チャート）からポジショントレード（週足チャート）まで売買手法が満載！

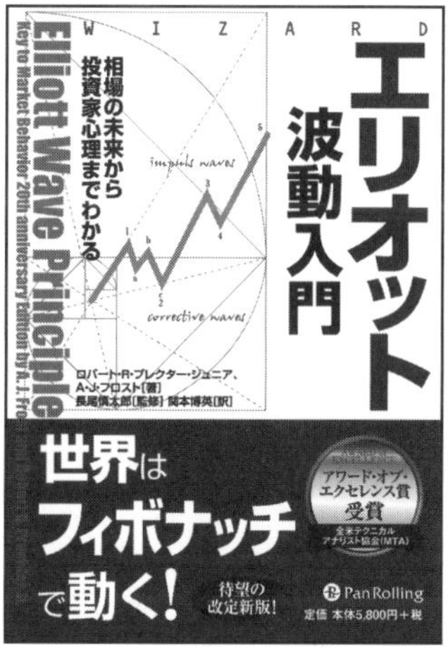

ウィザードブックシリーズ156

エリオット波動入門

著者：ロバート・R・プレクター・ジュニア　A・J・フロスト

定価 本体 5,800円+税　ISBN:9784775971239

全米テクニカルアナリスト協会（MTA）のアワード・オブ・エクセレンス賞を受賞。待望のエリオット波動の改定新版！相場はフィボナッチを元に動く！波動理論の教科書！

ウィザードブックシリーズ163

フィボナッチトレーディング

著者：キャロリン・ボロディン

定価 本体各 5,800円+税　ISBN:9784775971307

フィボナッチ級数の数値パターンに基づき、トレードで高値と安値を正確に見定めるための新たな洞察を提供。利益を最大化し、損失を限定する方法を学ぶことができる。

ウィザードブックシリーズ166

フィボナッチブレイクアウト売買法

著者：ロバート・C・マイナー

定価 本体 5,800 円+税　ISBN:9784775971338

フィボナッチとブレイクアウトの運命的な出合い！黄金比率だけでもなく、ブレイクアウトだけでもない！フィボナッチの新たな境地！従来のフィボナッチの利用法をブレイクアウト戦略まで高めた実践的手法

相場の未来を予測するために

ウィザードブックシリーズ108
高勝率トレード学のススメ
著者：マーセル・リンク

定価 本体 5,800円+税　ISBN:9784775970744

トレーディングの現実を著者独自の観点からあぶり出し、短期トレーダーと長期トレーダーたちによる実際の成功例や失敗例をチャートとケーススタディを通じて検証する本書は、まさにトレーディングの生きたガイドブック。

ウィザードブックシリーズ119
フルタイムトレーダー 完全マニュアル
著者：トム・バッソ

定価 本体 5,800 円+税　ISBN:9784775970850

戦略・心理・マネーマネジメント――相場で生計を立てるための全基礎知識を得るこれからトレーダーとして経済的自立を目指す人の必携の書！

ウィザードブックシリーズ103
アペル流 テクニカル売買のコツ
著者：ジェラルド・アペル

定価 本体 5,800 円+税　ISBN:9784775970690

【システム売買に役立つ「パワーツール」をMACD開発者である現役マネジャーが伝授！】相場転換の直前に「ひそかに現れる手がかり」を発見する方法！

ウィザードブックシリーズ36
ワイルダーの テクニカル分析入門
著者：J・ウエルズ・ワイルダー・ジュニア

定価 本体 9,800 円+税　ISBN:9784939103636

RSI、ADX開発者自身による伝説の書！ワイルダーの古典をついに完全邦訳6つの独創的 かつ画期的なシステムを紹介。その他にも、CSI（銘柄選択指数）や資金管理に も言及している。

心の鍛錬はトレード成功への大きなカギ！

ウィザードブックシリーズ184

脳とトレード 「儲かる脳」の作り方と鍛え方

著者：リチャード・L・ピーターソン

定価 本体 3,800 円+税 ISBN:9784775971512

【相場で勝つ「脳」、負ける「脳」トレードで利益を上げげられるかどうかは「あなたの脳」次第】本当に成功を収めるには、自分自身を管理する方法を身につける必要がある。

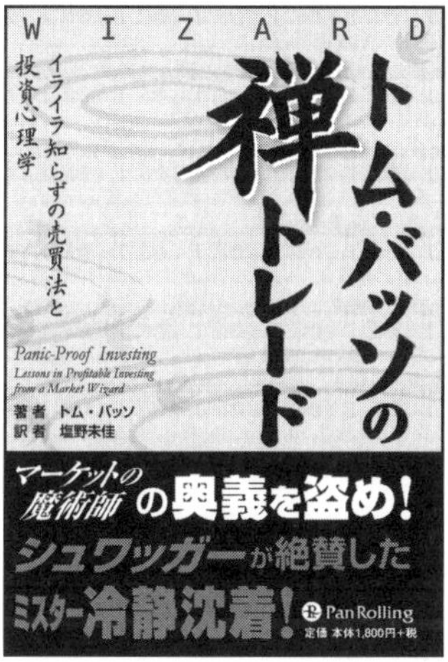

ウィザードブックシリーズ176

トム・バッソの禅トレード イライラ知らずの売買法と投資心理

著者：ブレント・ペンフォールド

定価 本体 1,800 円+税 ISBN:9784775971437

プロのトレーダーとして世界屈指の人気を誇り、さまざまなメディアでも取り上げられるトム・バッソ。本書は機知や英知に富んでいるだけでなく、実践的なアドバイスにも満ちている。

ウィザードブックシリーズ32

ゾーン 相場心理学入門

著者：マーク・ダグラス

オーディオブックも
絶賛発売中!!

定価 本体 2,800円＋税 ISBN:9784939103575

恐怖心ゼロ、悩みゼロで、結果は気にせず、淡々と直感的に行動し、反応し、ただその瞬間に「するだけ」の境地、つまり、「ゾーン」に達した者が勝つ投資家になる！

ウィザードブックシリーズ168

悩めるトレーダーのためのメンタルコーチ術

著者：ブレット・N・スティーンバーガー

定価 本体 3,800 円+税 ISBN:9784775971352

自分で不安や迷いを解決するための101のレッスン。自分も知らない内なる能力をセルフコーチで引き出す！不安や迷いは自分で解決できる！

FXで勝ち抜くための知識の宝庫

1分足のレンジで勝負！ 行き過ぎを狙う FX乖離（かいり）トレード

著者：春香

定価 本体 2,000 円+税　ISBN:9784775991060

【独自のインジケーターで短期（1分足）のレンジ相場の行き過ぎを狙う】1カ月分（2011年1月）の「トレード日誌」で勝ち組トレーダーの頭の中を公開！

待つFX 1日3度のチャンスを狙い撃ちする

著者：えつこ

定価 本体各 2,000 円+税　ISBN:9784775991008

毎月10万円からスタートして、月末には数百万円にまで膨らませる専業主婦トレーダーがその秘密を教えます。

FXメタトレーダー入門・実践プログラミング

著者：ブレント・ペンフォールド

定価 本体 2,800 円+税　ISBN:9784775990636

定価 本体 2,800 円+税　ISBN:9784775990902

【ようこそメタトレーダーの世界へ！】FXトレードそして売買プログラミングを真剣に勉強しようというトレーダーたちに最高級の可能性を提供。

iCustom（アイカスタム）で変幻自在のメタトレーダー

著者：ウエストビレッジインベストメント株式会社

定価 本体 2,800 円+税　ISBN:9784775991077

自分のロジックの通りにメタトレーダーが動いてくれる。そんなことを夢見てEA（自動売買システム）作りに励んでみたものの、難解なプログラム文に阻まれて挫折した人に読んでほしいのが本書です。

関 連 書

ウィザードブックシリーズ228

FX 5分足スキャルピング
プライスアクションの基本と原則

ボブ・ボルマン【著】

定価 本体5,800円+税　ISBN:9784775971956

132日間連続で1日を3分割した5分足チャート【詳細解説付き】

本書は、トレーダーを目指す人だけでなく、「裸のチャート（値動きのみのチャート）のトレード」をよりよく理解したいプロのトレーダーにもぜひ読んでほしい。ボルマンは、何百ものチャートを詳しく解説するなかで、マーケットの動きの大部分は、ほんのいくつかのプライスアクションの原則で説明でき、その本質をトレードに生かすために必要なのは熟練ではなく、常識だと身をもって証明している。
トレードでの実践に必要な細部まで広く鋭く目配りしつつも非常に分かりやすく書かれており、すべてのページに質の高い情報があふれている。FXはもちろん、株価指数や株や商品など、真剣にトレードを学びたいトレーダーにとっては、いつでもすぐに見えるところに常備しておきたい最高の書だろう。

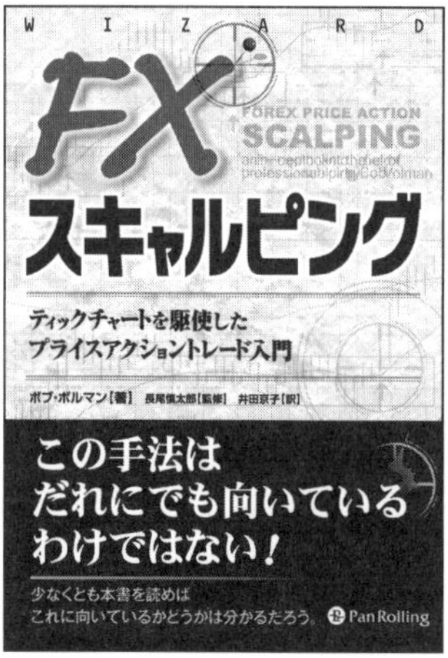

ウィザードブックシリーズ200

FXスキャルピング
ティックチャートを駆使したプライスアクショントレード入門

ボブ・ボルマン【著】

定価 本体3,800円+税　ISBN:9784775971673

無限の可能性に満ちたティックチャートの世界！ FXの神髄であるスキャルパー入門！

日中のトレード戦略を詳細につづった本書は、多くの70ティックチャートとともに読者を魅力あふれるスキャルピングの世界に導いてくれる。そして、あらゆる手法を駆使して、世界最大の戦場であるFX市場で戦っていくために必要な洞察をスキャルパーたちに与えてくれる。

関 連 書

遅咲きトレーダーのスキャルピング日記

1年間で100万ドル儲けた喜怒哀楽の軌跡

定価 本体3,800円+税　ISBN:9784775971925

**トレード時の興奮・歓喜・落胆・逆上・仰天・失望・貪欲の心理状態をチャートで再現
100万回間違えて、100万ドルを達成した本当のプロ！**

あるトレード戦略は、つもり売買ではいつも素晴らしいものに見える。しかし、実際にトレードしてみると、マーケットの混沌や人間の予測不可能な行動によって、最高のはずだった戦略でさえ効果が上がらないことも多い。トレードは、実際に自分のお金を賭けてプレッシャーにさらされると、大変難しいものになるという厳しい現実を、すべてのトレーダーは知ることになる。

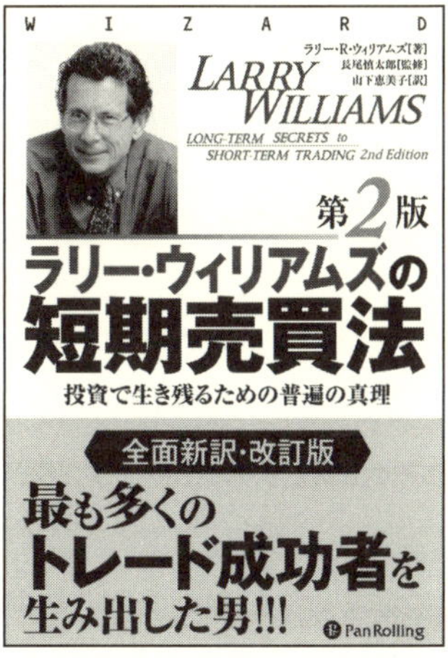

ラリー・ウィリアムズの短期売買法【第2版】

投資で生き残るための普遍の真理

定価 本体7,800円+税　ISBN:9784775971604

**短期システムトレーディングのバイブル！
日本のトレーディング業界に革命をもたらし、多くの日本人ウィザードを生み出した教科書！**

13年の歳月を経て、全面改訂した第2版を引っさげてウィリアムズがついに帰ってきた。
ウィリアムズが半世紀にわたって実践・会得してきた奥義がぎっしり詰まった本書は、これから短期トレーディングを始めようとする人々にとって価値ある情報の宝庫のようなものだろう。本書 を片手に、いざ短期トレーディングの世界に繰り出そうではないか！

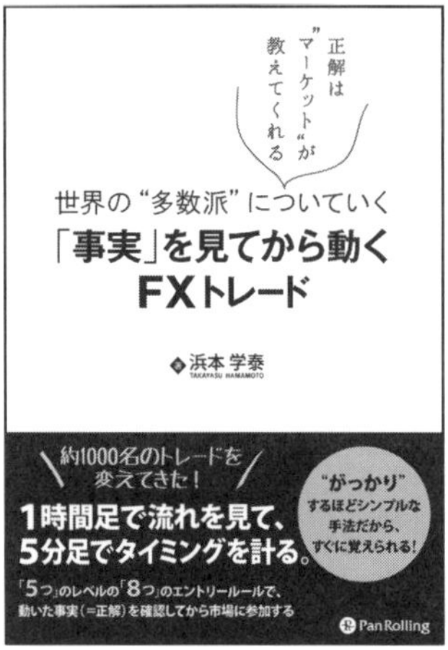

世界の“多数派”についていく「事実」を見てから動くFXトレード

正解は“マーケット”が教えてくれる

定価 本体2,000円+税　ISBN:9784775991350

「上」か「下」かを当てようとするから当たらない

一般的に、「上に行くのか、下に行くのかを当てることができれば相場で勝てる」と思われがちですが、実は、そんなことはありません。　逆説的に聞こえるかもしれませんが、上か下かを当てようとするから、相場が難しくなってしまうのです。なぜなのか。それは、「当てよう」と思った瞬間は、自分本位に動いているからです。

「当てたい」なら、正解を見てから動けばいい

では、当てにいこうとしてはいけないなら、どうすればよいのでしょうか？　私たち個人投資家がやるべきことは、「動いた」という事実を客観的に確認することです。例えば、世界中のトレーダーたちが「上だ」と考えて、実際に買いのポジションを持ったと確認できてから動くのです。正解がわかったら、自分も素早くアクションを起こします。自分の意思は関係ありません。世界の思惑に自分を合わせるのです。

FXトレード会社 設立運営のノウハウ 改訂版

個人投資家が法人でハイレバレッジと節税を享受するために

定価 本体2,800円+税　ISBN:9784775991381

復興特別税など情報を更新した改訂版

「資金管理」は、トレードを“ビジネス”として成功させるのに不可欠な要素の ひとつ。しかし、資金管理というと、多くのトレーダーが「最適なリスク管理」や「効率的な利回り」に目を向けがちで、もうひとつの大切なポイントを見落としがちだ――「税金対策」である。

せっかくトレードで効率的に利益を挙げたとしても、税制度に無頓着であるがた めに、殖やした資金を“非効率的に”減らしている可能性があるのだ。トレーダーは、自分の生活環境や人生観と照らし合わせながら、最適な節税方法 について考える必要がある。

バカラ村

国際テクニカルアナリスト連盟 認定テクニカルアナリスト。得意通貨ペアはドル円やユーロドル等のドルストレート全般である。デイトレードを基本としているが、豊富な知識と経験に裏打ちされた鋭い分析をもとに、スイングトレードやスキャルピングなどを柔軟に使い分ける。1日12時間を超える相場の勉強から培った、毎月コンスタントに利益を獲得するそのアプローチには、個人投資家のみならず多くのマーケット関係者が注目している。

DVD バカラ村式 FX短期トレードテクニック
勝率を高める相関性

定価 本体3,800円+税　ISBN:9784775965047

普遍的に使えるトレードの考え方!

実際に行ったトレードを題材にしています。良いトレードだけでなく、悪かったトレードも挙げて、何を考え、何を材料に、どうしてエントリーしたのか、どうしてイグジットしたのかを話します。

テクニカル分析という内容だけではなく、実際に行ったトレードということで、見ていただいた方の収益に直結すれば嬉しく思います。また、金融市場全体として、資金の流れが他の市場にも影響を受けることから、相関性についても述べます。相関性を利用することで、勝率が上がりやすくなります。

DVD バカラ村式 FX短期トレードテクニック
勝ち組1割の考え方
定価 本体3,800円+税　ISBN:9784775964897

どの価格がエントリーに最適かをチャートから読み取り、ストップはそれを越えたところにすればよい。そんなポイントをどう読み取るのかをチャートを使って説明する。

DVD
15時からのFX
定価 本体3,800円+税　ISBN:9784775963296

「ボリンジャーバンド」と「フォーメーション分析」を使ったデイトレード・スイングトレードの手法について、多くの実践例や動くチャートをもとに詳しく解説。

DVD
15時からのFX実践編
定価 本体3,800円+税　ISBN:9784775963692

トレード効果を最大化するデイトレード術実践編。勝率を高めるパターンの組み合わせ、他の市場参加者の損切りポイントを狙ったトレード方法などを解説。

DVD バカラ村式 FX短期トレードテクニック
相場が教えてくれる3つの勝ちパターン
定価 本体3,800円+税　ISBN:9784775964613

受講者全員が成功体験できた幻のセミナーが遂に映像化。勝っている人は自分自身の勝てるパターンを持っている。簡単だけど、勝つために必要なこと。

DVD バカラ村式 FX短期トレードテクニック
相場は相場に聞け
定価 本体3,800円+税　ISBN:9784775964071

講師が専業トレーダーとして、日々のトレードから培ったスキルを大公開!「明確なエントリーが分からない」・「売買ルールが確立できない」・「エントリー直後から含み損ばかり膨らむ」などのお悩みを解決!

ローレンス・A・コナーズ

TradingMarkets.com の創設者兼 CEO（最高経営責任者）。
1982年、メリル・リンチからウォール街での経歴をスタートさせた。
著書には、リンダ・ブラッドフォード・ラシュキとの共著『魔術師リンダ・ラリーの短期売買入門（ラリーはローレンスの愛称）』（パンローリング）などがある。

ウィザードブックシリーズ 169

コナーズの短期売買入門

定価 本体4,800円+税　ISBN:9784775971369

時の変化に耐えうる短期売買手法の構築法

さまざまな市場・銘柄を例に見ながら、アメリカだけではなく世界で通用する内容を市場哲学や市場心理や市場戦略を交えて展開していく。トレード哲学は「平均値への回帰」である。その意味は単純に、行きすぎたものは必ず元に戻る――ということだ。それを数値で客観的に示していく。
世の中が大きく変化するなかで、昔も儲って、今も変わらず儲かっている手法を伝授。

マーケットの達人である
ローレンス・コナーズとセザール・アルバレスが
何十年もかけて蓄えた
マーケットに関する知恵がぎっしり詰まっている

ウィザードブックシリーズ 197

コナーズの短期売買戦略

定価 本体4,800円+税　ISBN:9784775971642

機能する短期売買戦略が満載

株式市場に対するユニークかつ簡潔な見方を示した本書には、個人のトレーダーやプロのトレーダー、投資家、資産運用会社、それにマーケットの動きをもっと詳しく知りたいと望む人すべてにとって、必要な情報がこの1冊にコンパクトにまとめられている。本書は、主として株式市場の短期の値動きに焦点を当てているが、紹介した売買戦略はより長期的な投資に対してもうまく機能することが証明されている。

ウィザードブックシリーズ 180

コナーズの短期売買実践

定価 本体7,800円+税　ISBN:9784775971475

短期売買とシステムトレーダーのバイブル！

自分だけの戦略や戦術を考えるうえでも、本書を読まないということは許されない。トレーディングのパターンをはじめ、デイトレード、マーケットタイミングなどに分かれて解説された本書は、儲けることが難しくなったと言われる現在でも十分通用するヒントや考え方、システムトレーダーとしてのあなたの琴線に触れる金言にあふれている。

ウィザードブックシリーズ 221

コナーズRSI入門

定価 本体7,800円+税　ISBN:9784775971895

勝率が80%に迫るオシレーター！

日本のトレーダーたちに圧倒的な支持を得続けている『魔術師リンダ・ラリーの短期売買入門』（パンローリング）の共著者であるローレンス・コナーズは、今なお新しい戦略やシステムやオシレーターを編み出すのに余念がない。また、それらをすぐに公開するトレーダーにとっての「救世主」である。

ウィザードブックシリーズ 1

魔術師リンダ・ラリーの短期売買入門

定価 本体28,000円+税　ISBN:9784939103032

ウィザードが語る必勝テクニック

日本のトレーディング業界に衝撃をもたらした一冊。リンダ・ラシュキとローレンス・コナーズによるこの本は、当時進行していたネット環境の発展と相まって、日本の多くの個人投資家とホームトレーダーたちに経済的な自由をもたらした。裁量で売買することがすべてだった時代に終わりを告げ、システムトレードという概念を日本にもたらしたのも、この本とこの著者2人による大きな功績だった。

ウィザードブックシリーズ 216

高勝率システムの考え方と作り方と検証

定価 本体7,800円+税　ISBN:9784775971833

あふれ出る新トレード戦略と新オシレーターとシステム開発の世界的権威！

新しいオシレーターであるコナーズRSIに基づくトレードなど、初心者のホームトレーダーにも理解しやすい戦略が満載されている。

好評発売中

あなたのトレード判断能力を大幅に鍛える
エリオット波動研究

一般社団法人日本エリオット波動研究所【著】

定価 本体2,800円+税　ISBN:9784775991527

基礎からトレード戦略まで網羅したエリオット波動の教科書

エリオット波動理論を学ぶことで得られるのは、「今の株価が波動のどの位置にいるのか（上昇波動や下落波動の序盤か中盤か終盤か）」「今後どちらの方向に動くのか（上昇か下落か）」「どの地点まで動くのか（上昇や下落の目標）」という問題に対する判断能力です。
エリオット波動理論によって、これまでの株価の動きを分析し、さらに今後の株価の進路のメインシナリオとサブシナリオを描くことで、それらに基づいた「効率良いリスク管理に優れたトレード戦略」を探ることができます。そのためにも、まずは本書でエリオット波動の基本をしっかり理解して習得してください。

裁量トレーダーの心得 初心者編
システムトレードを捨てたコンピューター博士の株式順張り戦略

デーブ・ランドリー【著】

定価 本体4,800円+税　ISBN:9784775971574

PCの魔術師だからこそ分かった「裁量トレード時代の到来」！

あなたが投資やトレーディングの初心者であれ、これまでずっとマーケットとかかわってきた人であれ、本書を読めば相場に対する新鮮な見方と新しい手法が得られるだろう。マーケットで一貫して利益を上げるために必要なもののすべてが、本書に余すことなく披露されている。相場が本当はどのように動いているのか、そして、思いもよらないほど冷酷なマーケットで成功するために何が必要かを、本書で学んでほしい。